세종 한국어

― 익힘책 ―

3A

문화체육관광부
국립국어원

발간사

최근 전 세계인이 접하는 한류 콘텐츠의 규모가 늘어나면서 한류 문화가 확산되고 있고, 그 결과로 한국어를 배우고자 하는 외국인 학습자의 기세가 매우 놀랍습니다. 세계 곳곳이 코로나19로 침체기를 겪던 2021년에도 한국어능력시험 응시자는 30만 명을 훌쩍 넘었으며, 문화체육관광부의 세종학당은 2007년 13곳에서 2022년에는 84개국 244개소로 증가하였습니다. 이러한 한류의 지속적인 확산을 뒷받침하기 위해서는 한국어교육의 탄탄한 지원이 필요합니다.

한류 콘텐츠와 함께 성장하는 한국어교육의 토대를 다지기 위해, 문화체육관광부와 국립국어원은 2011년 처음 발간된 《세종한국어》를 새로 다듬기로 하였습니다. 2019년부터 기초 연구를 시작한 교재 개정 작업은 3년의 시간을 들여, 2022년 드디어 새로운 《세종한국어》를 펴내게 되었고, 이를 세종학당재단과 함께 알리게 되었습니다.

새롭게 개정된 《세종한국어》는 첫째, 세종학당 곳곳에서 한국어를 배우고자 하는 열의로 가득 찬 외국인 학습자 중심의 교재를 지향하였습니다. 둘째, 현지 세종학당의 학습 환경에 따라 유연하게 활용할 수 있는 맞춤형 교재로 정비되었습니다. 셋째, 한류 콘텐츠에 대한 외국인들의 관심을 내용에 반영함으로써, 한국어 공부에 대한 학습자의 부담을 낮췄습니다. 마지막으로 세종학당을 대표하는 표준 교재로서 구심점 역할을 담당하고, 이후의 한국어 학습을 위한 연계성도 잘 갖추었습니다.

세종학당은 한국어와 한국 문화로 한국과 세계를 연결하는 대한민국 대표의 국외 한국어교육 기관입니다. 국립국어원과 문화체육관광부는 앞으로도 세종학당재단과 협력하여 전 세계에서 한국어를 사랑하는 이들이 꿈을 이룰 수 있도록 지속적인 노력과 지원을 아끼지 않겠습니다.

끝으로 교재 개발을 위해 최선의 노력을 기울여 주신 연구·집필진과 출판사 관계자분들께 진심으로 감사의 말씀을 드립니다. 《세종한국어》의 새로운 출발과 함께 문화체육관광부와 국립국어원, 세종학당재단이 세계로 더 나아갈 수 있도록 여러분의 따뜻한 관심 부탁드립니다.

2022년 8월
국립국어원장 장소원

머리말

세종학당은 한국과 전 세계를 연결하는 한국어·한국 문화 보급 기관입니다. 이번에 개발한 교재는 상호 문화주의에 기반하여 한국어 학습에 대한 학습자의 흥미를 증진함으로써 한국어 의사소통 능력을 향상시키는 것을 목표로 하였습니다. 이를 위해 최근 한국의 상황을 적극적으로 반영하였고 최신 교수법을 구현할 수 있는 새로운 구성과 디자인을 적용하였습니다. 이를 통해 국외 한국어교육의 방향성을 새롭게 제시하고자 하였습니다. 개정 《세종한국어》의 구체적 특징은 다음과 같습니다.

첫째, 세종학당의 표준 교육과정인 가형, 나형, 다형 전 과정에 탄력적으로 활용할 수 있도록 '기본 교재'와 '더하기 활동 교재'로 구분하였습니다. '기본 교재'에는 해당 등급에 필요한 핵심적인 내용을 담았으며, '더하기 활동 교재'에는 심화·확장이 필요한 언어 지식과 의사소통 활동을 담았습니다. 이를 통해 다양한 학습자 특성에 맞게 교재를 선택하여 사용할 수 있도록 하였습니다.

둘째, 효과적 교수·학습을 위해 단계별로 단원 구성을 차별화하였으며 학습 내용 또한 언어 발달 단계에 맞는 교수 학습 내용과 절차를 적용하였습니다. 특히 다양한 삽화와 시각적 자료를 적극적으로 제시하여 한국어 학습의 흥미를 극대화할 수 있도록 노력하였습니다.

셋째, 교재 전반에 생생한 한국 문화 내용을 배치하여 학습자들이 상호 문화적 관점에서 한국 문화를 이해하고, 궁극적으로는 자국의 문화와 한국 문화에 대한 바른 태도를 형성할 수 있도록 하였습니다.

넷째, 교재와 함께 '익힘책', '교사용 지도서', '어휘·표현과 문법', 수업용 PPT와 같은 보조 자료들을 개발하여 교사·학습자의 요구에 맞게 교재를 활용할 수 있도록 하였습니다.

이 교재를 기획하고 개발하는 모든 과정에 함께해 주신 국립국어원과 현지 학당과의 협조와 지원을 아끼지 않으신 세종학당재단, 그리고 학습자들이 재미있게 한국어를 배울 수 있도록 멋지게 디자인해 주신 공앤박출판사에 감사의 마음을 전하고 싶습니다. 끝으로 3년이라는 긴 시간 동안 오로지 한국어교육에 대한 열정으로 좋은 교재를 만들어 내기 위해 애써 주신 모든 집필진께 말로는 다할 수 없는 깊은 감사의 마음을 전합니다.

2022년 8월
저자 대표 이정희

차례

1. 다음을 잘 읽고 알맞은 것을 골라 쓰세요.

| 정신없이 지내다 | 이게 얼마 만이야 | 이곳저곳 다니다 | 한가하게 지내다 | 이런저런 이야기를 하다 |

1) 가 : 너 유진 아니니? _____. 진짜 오랜만이다.

   나 : 안나야, 오랜만이야.

2) 가 : 요즘 어떻게 지내요?

   나 : 공부도 하고 아르바이트도 하면서 _____.

3) 가 : 주노 씨는 참 여행을 좋아하는 것 같아요.

   나 : 네. 저는 _____ 것을 좋아해요.

4) 가 : 오랜만에 만난 친구하고 무슨 이야기를 했어요?

   나 : 그동안 어떻게 지냈는지 _____.

5) 가 : 은퇴 후에 특별한 계획이 있어요?

   나 : 아니요. 집에서 쉬면서 _____ 싶어요.

2. 다음을 잘 읽고 알맞은 것을 골라 글을 완성해 보세요.

| "이게 얼마 만이야." | 이런저런 이야기를 하다 | 여기저기 다니다 |

| 한가하게 지내다 | 정신없이 지내다 | 그저 그렇게 지내다 |

저는 오랜만에 친구 나나를 만났어요. 나나는 저를 보고 1) (_____)

하고 반갑게 인사를 했어요. 우리는 오랜만에 명동에 가서 여기저기 다니면서 구경했어요. 그리고

유명한 식당에서 점심을 먹고 카페에서 두 시간 동안 2) (_____).

저는 방학 동안 쉬면서 3) (_____) 나나는 공부도 하고 여행도 하면서

4) (_____). 나나는 세계 여러 나라를

5) (_____) 정말 좋다고 했어요. 저는 이번 방학에 특별한 일 없이

6) (_____) 다음 방학에는 나나처럼 여행을 하려고 해요.

-니?, -자

1. 다음과 같이 문장을 바꿔 보세요.

> 지금 뭐 해요? 시간이 있으면 같이 공부해요.
> → 지금 뭐 하니? 시간이 있으면 같이 공부하자.

1) 아직 점심 못 먹었어요? 그럼 같이 라면 먹어요.

→ _____.

2) 어디 아파요? 많이 아프면 같이 병원에 가요.

→ _____.

3) 책을 안 가져 왔어요? 그럼 저하고 같이 봐요.

→ _____.

4) 숙제 다 했어요? 아직 안 했으면 같이 숙제해요.

→ _____.

2. 다음과 같이 알맞은 것을 고르세요.

> 안나, 주말에 뭐 할 (거예요 /⟨거니⟩)?

1) 미안해. 내가 오늘은 시간이 없으니까 내일 (만나자 / 만나요).

2) 선배님, 그동안 어떻게 (지내셨어요 / 지냈니)?

3) 주노, 이 영화 안 봤으면 같이 (봐요 / 보자).

4) 부장님, 오늘 회의에 (참석하니 / 참석하십니까)?

-아 / 어 보이다

---

1. 빈칸을 채워 보세요.

넓다	넓어 보이다	바쁘다	바빠 보이다
편안하다		맛있다	
무섭다		친절하다	
비싸다		크다	
피곤하다		슬프다	

---

2. 다음과 같이 문장을 완성해 보세요.

> 옷, 편하다 → 옷이 편해 보여요.

1) 성격, 좋다 → ....

2) 신발, 작다 → ....

3) 영화, 재미있다 → ....

4) 의자, 불편하다 → ....

---

3. 다음과 같이 알맞은 것을 골라 써 보세요.

넓다	맛있다	(바쁘다)	아프다	피곤하다

> 민수 씨는 오늘 바빠 보여요. 점심도 안 먹고 계속 일하고 있어요.

1) 주노 씨, 어제 병원 다녀왔어요? 아직도 ....

2) 와, 방이 정말 .... 저는 이 방이 마음에 들어요.

3) 이 음식 뭐예요? ....

4) 요즘 일이 많아요? ....

---

1. 대화를 듣고 들은 내용으로 맞는 것을 고르세요.

① 주노 씨는 일 때문에 바빴어요.

② 수지 씨는 그동안 한가하게 지냈어요.

③ 주노 씨는 세계 여러 나라를 다녔어요.

④ 수지 씨는 다른 나라에 여행을 가 본 적이 없어요.

2. 다시 대화를 들으면서 빈칸에 알맞은 말을 써 보세요.

수지 : 어머, 이게 누구야? 주노 아니니? 1) _____.

주노 : 수지야, 오랜만이야. 잘 지냈니?

수지 : 응. 난 2) _____. 주노 넌?

주노 : 나는 3) _____. 그동안 여행 다닌 거야?

수지 : 응. 이번에 시간이 있어서 세계 여러 나라를 여행했어.

주노 : 그렇구나. 그래서 그런지 4) _____. 사실 나도 여행 가고 싶었는데 일이 많아서 갈 시간이 없었어.

수지 : 그래? 그럼 다음 휴가 때 시간 되니? 시간 되면 친구들하고 같이 여행 가자.

주노 : 좋아. 빨리 여행 가고 싶다.

3. 대화를 듣고 따라 해 보세요.

1) 위의 대본을 보세요. 대본을 보면서 듣고 따라 해 보세요.

2) 위의 대본을 보지 않고 들으면서 따라 해 보세요.

4. 발음과 억양에 유의해서 다음 문장을 듣고 따라 해 보세요.

사실 / 나도 여행 가고 싶었는데 / 일이 많아서 / 갈 시간이 없었어.

1.   다음 글을 읽고 질문에 답하세요.

> 국내 대학생을 대상으로 '대학생들이 방학에 하고 싶은 일'과 '대학생들이 방학에 하는 일'에 대해 조사를 실시했습니다. 조사 결과, 방학에 하고 싶은 일로는 여행과 취미 생활이 28%로 가장 높게 나타났고, 그다음으로 휴식이 25%, 외국어 및 자격증 공부가 21%, 아르바이트가 19% 순으로 나타났습니다. 대외 활동은 7%에 불과했습니다. 반면에 대학생들이 방학에 하는 일의 경우 취업 준비가 53%로 가장 높았고, 그다음으로 외국어 및 자격증 공부가 20%, 아르바이트가 13%, 여행 및 취미 생활이 11%였으며 휴식이 3%로 가장 낮았습니다. 이 조사 결과를 통해 대학생들이 방학에 하고 싶은 일과 실제 대학생들이 하는 일이 크게 다르다는 것을 알 수 있습니다. 또한 대학생들은 취업 준비 때문에 여행 및 취미 생활과 휴식을 위한 시간이 적다는 것을 알 수 있습니다.

1)   윗글의 내용과 같은 것을 고르세요.

①   대학생들은 방학 때 쉬는 것을 안 좋아해요.
②   대학생들은 방학 때 외국어 공부를 거의 안 해요.
③   대학생들은 방학에 아르바이트를 가장 많이 해요.
④   대학생들은 방학 때 대외 활동보다 여행을 더 하고 싶어 해요.

2)   대학생들의 휴식 시간이 적은 이유는 뭐예요?

①   취업 준비를 해야 해서
②   취미 생활 때문에 바빠서
③   쉬는 것을 좋아하지 않아서
④   아르바이트를 하는 시간이 길어서

2.   새로 알게 된 어휘와 문법에 표시하면서 윗글을 다시 읽어 보세요.

1. 앞에서 읽은 글의 내용을 떠올려 보세요. 읽은 내용을 간단히 정리해 보세요.

2. 다음의 (   ) 속 핵심어를 참고하여 빈칸에 알맞은 문장을 써서 글을 완성해 보세요.

　　국내 대학생을 대상으로 '대학생들이 방학에 하고 싶은 일'과 '대학생들이 방학에 하는 일'에 대해 조사를 실시했습니다. 조사 결과, 방학에 하고 싶은 일로는 여행과 취미 생활이 28%로 가장 높게 나타났고, 그다음으로 휴식이 25%, 외국어 및 자격증 공부가 21%, 1)

　　　　　　　　　　. (아르바이트, 19%, 나타나다) 대외 활동은 7%에 불과했습니다. 반면에 대학생들이 방학에 하는 일의 경우 취업 준비가 53%로 가장 높았고, 그 다음으로 외국어 및 자격증 공부가 20%, 아르바이트가 13%, 여행 및 취미 생활이 11%였으며 휴식이 3%로 가장 낮았습니다. 2)

(이 조사, 결과, 대학생들, 방학, 하고 싶다) 일과 실제 대학생들이 하는 일이 크게 다르다는 것을 알 수 있습니다. 또한 3)

　　　　　　　　　　(대학생들, 취업 준비, 여행 및 취미 생활, 휴식) 시간이 적다는 것을 알 수 있습니다.

1. 다음을 잘 읽고 알맞은 것을 골라 쓰세요.

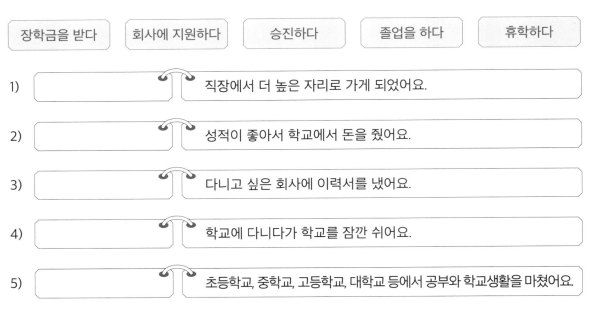

| 장학금을 받다 | 회사에 지원하다 | 승진하다 | 졸업을 하다 | 휴학하다 |

1) _____ 직장에서 더 높은 자리로 가게 되었어요.

2) _____ 성적이 좋아서 학교에서 돈을 줬어요.

3) _____ 다니고 싶은 회사에 이력서를 냈어요.

4) _____ 학교에 다니다가 학교를 잠깐 쉬어요.

5) _____ 초등학교, 중학교, 고등학교, 대학교 등에서 공부와 학교생활을 마쳤어요.

2. 다음을 잘 읽고 알맞은 것을 골라 글을 완성해 보세요.

| 업무를 맡다 | 근무하다 | 지원하다 | 그만두다 | 승진하다 |

저는 6년 전에 대학교를 졸업하고 제가 들어가고 싶었던 회사에 1) (   )
바로 합격했어요. 지금도 그 회사에서 2) (   ). 정말 들어오고 싶은
회사였지만 처음에는 너무 힘들어서 일을 3) (   ) 싶을 때가
많았어요. 하지만 같이 회사에 들어간 동료와 선배들의 도움으로 회사에 잘 적응할 수 있었어요.
그리고 작년에는 중요한 4) (   ), 결과가 좋아서 얼마 전에는
5) (   ). 지금은 대리가 되었어요. 가끔 힘들 때도 있지만 제가 좋아하는
일을 하면서 즐겁게 회사에 다니고 있어요.

–는다고 / ㄴ다고 / 다고 하다

---

1. 빈칸을 채워 보세요.

가다	간다고 하다	아프다	아프다고 하다
살다		받다	
자다		공부하다	
듣다		맛있다	
맑다		재미있다	

---

2. 다음과 같이 문장을 바꿔 보세요.

> 진 : 요즘 일이 많아서 바빠요. → 진 씨는 요즘 일이 많아서 바쁘다고 해요.

1) 민수 : 다음 달에 결혼해요.   → _____ .

2) 히엔 : 이번에 장학금을 받았어요. → _____ .

3) 수현 : 두 달 후에 아이를 낳아요. → _____ .

4) 마크 : 요즘 좀 피곤해요.   → _____ .

---

3. 다음과 같이 **틀린** 부분을 찾아 × 표시를 하고 바르게 고쳐 보세요.

> 수지 씨가 회사에서 맡은 일이 ~~힘들여요.~~ → 수지 씨가 회사에서 맡은 일이 힘들다고 해요.

1) 어머니께서 오늘 날씨가 추워요.

→ _____ .

2) 주노 씨가 한국 음식이 별로 맵지 않는다고 해요.

→ _____ .

3) 교수님께서 장학금을 받으려면 전공 수업이 중요해요.

→ _____ .

4) 선배가 내년에 휴학했다고 해요.

→ _____ .

–나 / (으)ㄴ가 보다

---

1. 빈칸을 채워 보세요.

오다	오나 보다	크다	큰가 보다
늦다		자다	
듣다		바쁘다	
춥다		피곤하다	
전화하다		재미있다	

---

2. 다음과 같이 문장을 바꿔 보세요.

> 비가 오는 것 같아요. 사람들이 우산을 쓰고 가요.
> → 비가 오나 봐요. 사람들이 우산을 쓰고 가요.

1) 해리 씨가 시험공부를 하는 것 같아요. 매일 도서관에 가는 걸 봤어요.

   → _____.

2) 안나 씨가 바쁜 것 같아요. 전화를 안 받아요.

   → _____.

3) 버스가 도착한 것 같아요. 사람들이 버스 정류장으로 뛰어가네요.

   → _____.

4) 소피 씨는 기숙사에 사는 것 같아요. 기숙사 쪽으로 가고 있어요.

   → _____.

---

3. 다음과 같이 알맞은 것을 골라 바꾸어 써 보세요.

| 의사이다 | 음식을 만들다 | (많이 아프다) | 여자 친구를 만나다 | 시험 기간이다 |

> 오늘도 수지 씨가 안 온 걸 보니까 많이 아픈가 봐요.

1) 재민 씨가 오늘 멋있게 입고 온 걸 보니까 _____.

2) 매일 저 병원에 가는 걸 보니까 저 병원에서 일하는 _____.

3) 주노 씨가 계속 주방에 있는 걸 보니까 _____.

4) 학생들이 도서관에서 밤늦게까지 공부하는 걸 보니까 _____.

---

1.   대화를 듣고 들은 내용으로 맞는 것을 고르세요.

     ①   안나 씨는 지난 시험에 합격하지 못했어요.

     ②   유진 씨는 약속 장소에 제일 늦게 도착했어요.

     ③   재민 씨는 출장을 갈 준비를 해야 해서 많이 바빠요.

     ④   안나 씨는 아르바이트를 하면서 시험 준비를 하고 있어요.

2.   다시 대화를 들으면서 빈칸에 알맞은 말을 써 보세요.

     안나 : 유진! 재민 씨! 오랜만이에요. 잘 지냈어요? 늦어서 미안해요.

     재민 : 괜찮아요. 전 잘 지냈어요. 안나 씨도 잘 지냈죠?

     안나 : 네. 1) _____. 오늘 주말이라서 2) _____.

     유진 : 시험공부는 잘하고 있어?

     안나 : 열심히 하고 있기는 한데, 공부할 게 너무 많아서 3) _____.

               재민 씨, 요즘도 많이 바빠요?

     재민 : 4) _____ 지금은 괜찮아요. 안나 씨 무슨 시험이 있어요?

     안나 : 아, 한국어능력시험을 치르려고요. 지난번에 10점이 모자라서 떨어졌는데 이번에는 꼭

               5) _____.

     재민 : 아르바이트도 잠깐 쉬고 공부하는데 당연히 합격할 거예요. 걱정하지 마세요.

     유진 : 참! 짠~ 이건 두 사람에게 줄 선물! 우리 고향에서 제일 유명한 과자예요.

     재민 : 정말 고마워요. 잘 먹을게요.

     안나 : 나도 잘 먹을게! 정말 맛있겠다.

3.   대화를 듣고 따라 해 보세요.

     1)   위의 대본을 보세요. 대본을 보면서 듣고 따라 해 보세요.

     2)   위의 대본을 보지 않고 들으면서 따라 해 보세요.

4.   발음과 억양에 유의해서 다음 문장을 듣고 따라 해 보세요.

     오늘 주말이라서 / 길이 좀 복잡하더라고요.

1. 다음 글을 읽고 질문에 답하세요.

> 보내는 사람: jmk@han.net
> 받는 사람: annaanna@sjmail.com
> 제목: 안나 씨, 힘내세요!
>
> 안나 씨, 안녕하세요?
> 시험 준비는 잘하고 있어요? 지난번에 만났을 때 보니까 안나 씨가 시험 걱정을 너무 많이 하는 것 같아서요.^^; 안나 씨는 늘 열심히 공부하고 있고, 지금 아르바이트도 잠깐 쉬면서 공부하고 있으니까 이번에는 꼭 합격할 수 있을 거예요. 지난번에 아깝게 떨어져서 더 걱정을 많이 하는 것 같은데 긴장하지 말고 건강 관리를 하면서 공부했으면 좋겠어요.
> 참! 저는 2주 후에 다시 출장을 가요. 이번에도 한국으로 가는데 많이 바쁘지 않아서 고향에도 갔다 올 수 있을 것 같아요. 출장 준비를 거의 다 해서 요즘 바쁘지 않은데 혹시 공부할 때 제 도움이 필요하면 이야기하세요. 6시 이후에는 언제든 괜찮아요.
> 건강 관리 잘하고 연락 주세요!
>   — 재민.

1) 윗글의 내용과 같은 것을 고르세요.

① 안나 씨는 요즘 시험 준비를 하고 있습니다.
② 안나 씨는 아르바이트 때문에 공부할 시간이 없습니다.
③ 재민 씨는 요즘 바빠서 안나 씨를 도와주기 어렵습니다.
④ 재민 씨는 고향에 있는 가족에게 일이 생겨서 고향에 갑니다.

2) 이 사람이 편지를 쓴 이유는 뭐예요?

① 친구를 격려하려고
② 친구를 축하하려고
③ 친구에게 사과하려고
④ 친구에게 질문하려고

2. 새로 알게 된 어휘와 문법에 표시하면서 윗글을 다시 읽어 보세요.

1. 앞에서 읽은 글의 내용을 떠올려 보세요. 읽은 내용을 간단히 정리해 보세요.

....

....

....

....

....

2. 다음의 ( ) 속 핵심어를 참고하여 빈칸에 알맞은 문장을 써서 글을 완성해 보세요.

보내는 사람: jmk@han.net
받는 사람: annaanna@sjmail.com
제목: 안나 씨, 힘내세요!

안나 씨, 안녕하세요?

1) _____? (시험 준비, 잘하다) 지난번에 만났을 때

보니까 시험 걱정을 너무 많이 하는 것 같아서요.^^; 안나 씨는 늘 열심히 공부하고 있고, 지금

2) _____. (아르바이트, 잠깐 쉬다, 공부하다)

이번에는 꼭 합격할 수 있을 거예요. 지난번에 아깝게 떨어져서 더 걱정을 많이 하는 것 같은데

3) _____

_____. (긴장하다, 건강 관리, 공부하다)

참! 저는 2주 후에 다시 출장을 가요. 이번에도 한국으로 가는데 많이 바쁘지 않아서 고향에도

갔다 올 수 있을 것 같아요. 4) _____

_____. (출장 준비, 바쁘지 않다)

혹시 공부할 때 제 도움이 필요하면 이야기하세요. 6시 이후에는 언제든 괜찮아요.

건강 관리 잘하고 연락 주세요!

— 재민.

1. 다음을 잘 읽고 알맞은 것을 골라 쓰세요.

| 부동산 | 월세 | 이삿짐센터 | 집들이 | 보증금 |

1) [   ] 이사하고 싶을 때 집을 소개 받을 수 있는 곳이에요.

2) [   ] 이사를 할 때 물건을 대신 옮겨 주는 일을 해요.

3) [   ] 한 달마다 방값을 내요.

4) [   ] 집을 계약할 때 집주인에게 미리 돈을 줘요.

5) [   ] 이사한 집에 친구들을 초대해요.

2. 다음을 잘 읽고 알맞은 것을 골라 글을 완성해 보세요.

| 부동산 | 교통이 편리하다 | 시장이 가깝다 | 계약하다 | 월세 |

저는 지금 기숙사에서 살고 있어요. 기숙사 생활이 불편하지는 않지만 혼자 살아 보고 싶고 기숙사에서는 요리를 할 수 없기 때문에 1) (   ) 집을 알아봤어요. 제가 알아본 집은 학교 근처에 있는 집인데 학교까지 걸어서 10분밖에 안 걸려요. 또 이 집은 2) (   ) 시장에 가서 장을 보기가 편해요. 그리고 집 앞에 바로 버스 정류장이 있어서 3) (   ). 무엇보다 4) (   ) 저렴해서 마음에 들었어요. 그래서 저는 한 달 후에 이사하기로 하고 이 집을 5) (   ).

-(으)ㄹ까 하다

1. 빈칸을 채워 보세요.

가다	갈까 하다	읽다	읽을까 하다
살다		듣다	
자다		묻다	
놀다		운동하다	
먹다		짓다	

2. 다음과 같이 문장을 바꿔 보세요.

> 가 : 지금 사는 집이 어때요?
> 나 : 지금 사는 집이 좁고 불편해서 다른 집으로 이사하려고 해요.
> → 지금 사는 집이 좁고 불편해서 다른 집으로 이사할까 해요.

1) 가 : 시험이 끝났는데 뭐 할 거예요?   나 : 너무 피곤해서 집에서 쉬려고 해요.

→ _____ .

2) 가 : 수지 씨, 점심 먹었어요?   나 : 아니요. 아직 배가 안 고파서 나중에 먹을 생각이에요.

→ _____ .

3) 가 : 오늘 숙제가 뭐예요?   나 : 저도 잘 몰라서 친구한테 물어보려고 해요.

→ _____ .

4) 가 : 이번 방학에 뭐 할 거예요?   나 : 해외여행을 안 가 봐서 해외여행을 갈 생각이에요.

→ _____ .

3. 다음과 같이 알맞은 것을 골라 써 보세요.

놀다	듣다	살다	읽다	쇼핑하다

> 내일 친구하고 시내에서 쇼핑할까 해요.

1) 오늘 저녁에 공원에서 친구와 _____ .

2) 시간이 있으면 집에서 책을 _____ .

3) 내년에는 올해보다 더 큰 집에서 _____ .

4) 친구가 알려 준 한국 음악을 _____ .

–지만 않으면

---

1. 다음과 같이 문장을 바꿔 보세요.

> 가 : 주말에 뭐 할 거예요?
> 나 : 비만 안 오면 등산을 갈 거예요.
> → 주말에 비가 오지만 않으면 등산을 갈 거예요.

1) 가 : 유진 씨는 어떤 집에서 살고 싶어요?

   나 : 월세만 안 비싸면 다 괜찮아요.

   → _____ .

2) 가 : 어떤 사람을 소개받고 싶어요?

   나 : 저한테 거짓말만 안 하면 돼요.

   → _____ .

3) 가 : 우리 어디로 놀러 갈까?

   나 : 오늘은 복잡한 곳에 가지 말자. 사람만 안 많으면 다 괜찮아.

   → _____ .

4) 가 : 어떤 룸메이트하고 같이 살고 싶어요?

   나 : 잘 때 코만 안 골면 괜찮아요.

   → _____ .

5) 가 : 올해 특별한 계획이 있어요?

   나 : 지금 하는 아르바이트만 안 그만두면 돈을 모아서 한국으로 여행 갈 거예요.

   → _____ .

---

2. 다음과 같이 알맞은 것을 고르세요.

> 가 : 미안해요. 실수로 컵을 깼어요.
> 나 : (깨지만 않았으면 / 다치지만 않았으면) 괜찮아요.

1) 가 : 우리 언제 만날까요?

   나 : (바쁘지만 않으면 / 시간이 많지만 않으면) 오늘 만나요.

2) 가 : 우리 어떤 영화를 볼까요?

   나 : 영화가 (재미있지만 않으면 / 지루하지만 않으면) 다 괜찮아요.

3) 가 : 오늘 같이 축구할래요?

   나 : (비가 오지만 않으면 / 날씨가 좋지만 않으면) 같이 할게요.

4) 가 : 내일 시험인데 너무 긴장되네요.

   나 : 걱정하지 마세요. (실수하지만 않으면 / 노력하지만 않으면) 합격할 수 있을 거예요.

---

1. 대화를 듣고 들은 내용으로 맞는 것을 고르세요.

   ①   수지 씨는 지금 혼자 살고 있어요.

   ②   주노 씨의 집은 학교 근처에 있어요.

   ③   수지 씨는 기숙사에서 살고 싶어 해요.

   ④   주노 씨가 소개해 준 원룸은 월세가 비싸요.

---

2. 다시 대화를 들으면서 빈칸에 알맞은 말을 써 보세요.

    수지 : 주노 씨, 1) _____ ?

    주노 : 왜요? 기숙사 생활이 힘들어요?

    수지 : 아니요. 그런 건 아닌데 혼자 살아 보고 싶어서 2) _____ .

    주노 : 그렇군요. 어떤 집에서 살고 싶어요?

    수지 : 다른 건 다 괜찮고 3) _____ . 그리고

         4) _____ .

    주노 : 그럼 우리 집 근처에 있는 원룸은 어때요?

    수지 : 원룸요?

    주노 : 네. 학교까지 걸어서 10분밖에 안 걸리고 주변 환경도 조용해요. 그리고 무엇보다

         5) _____ .

---

3. 대화를 듣고 따라 해 보세요.

   1)   위의 대본을 보세요. 대본을 보면서 듣고 따라 해 보세요.

   2)   위의 대본을 보지 않고 들으면서 따라 해 보세요.

---

4. 발음과 억양에 유의해서 다음 문장을 듣고 따라 해 보세요.

    다른 건 다 괜찮고 / 학교에서 / 멀지만 않으면 / 돼요.

1. 다음 글을 읽고 질문에 답하세요.

여러분은 부동산에 가서 집을 구해 본 적이 있습니까? 집을 구하기 전에 무엇을 해야 할까요? 가장 먼저 해야 하는 것은 원하는 조건을 생각해 보는 것입니다. 방은 몇 개가 필요한지, 학교나 직장에서는 가까운 곳인지, 월세는 얼마 정도인지 등을 정해야 합니다. 직접 집에 가서 볼 때는 어떤 것을 살펴봐야 할까요? 집의 시설에 문제가 없는지 잘 확인해야 합니다. 전기나 수도를 끄거나 켜 보고, 보일러에 문제가 있는지 확인해 보는 것도 중요합니다. 또한 텔레비전, 냉장고, 에어컨과 같은 가전제품이나 가구가 있는지 확인하면 이사 준비를 어떻게 하면 될지 계획을 세우기가 편할 것입니다. 그럼 마지막으로 집을 계약할 때 주의해야 할 점은 무엇일까요? 바로 계약서를 꼼꼼히 읽어 보는 것입니다. 계약서를 자세히 읽지 않고 계약을 하면 나중에 다른 집으로 이사할 때 문제가 있거나 보증금을 돌려받지 못할 수도 있습니다.

1) 윗글은 무엇에 대해 이야기하고 있는지 고르세요.

① 좋은 집의 조건
② 부동산 이용 방법
③ 집을 계약하는 방법
④ 집을 구할 때 주의할 점

2) 윗글을 읽고 집을 구할 때 신경 써야 하는 것을 써 보세요.

집을 구하기 전	
집을 볼 때	
집을 계약할 때	

2. 새로 알게 된 어휘와 문법에 표시하면서 윗글을 다시 읽어 보세요.

1. 앞에서 읽은 글의 내용을 떠올려 보세요. 읽은 내용을 간단히 정리해 보세요.

2. 다음의 ( ) 속 핵심어를 참고하여 빈칸에 알맞은 문장을 써서 글을 완성해 보세요.

여러분은 부동산에 가서 집을 구해 본 적이 있습니까? 1)

? (집, 구하다, 무엇을 하다) **가장 먼저 해야 하는 것은**
원하는 조건을 생각해 보는 것입니다. 방은 몇 개가 필요한지, 학교나 직장에서는 가까운 곳인지,
2)

. (월세, 얼마, 정하다)
직접 집에 가서 볼 때는 어떤 것을 살펴봐야 할까요? 3)

. (집의 시설, 문제가 없다, 잘 확인하다) **전기나 수도를 끄거나**
켜 보고, 보일러에 문제가 있는지 확인해 보는 것도 중요합니다. 또한, 텔레비전, 냉장고, 에어컨과
같은 가전제품이나 가구가 있는지 확인하면 4)

. (이사 준비, 어떻게 하다, 계획을 세우다, 편하다)
그럼 마지막으로 집을 계약할 때 주의해야 할 점은 무엇일까요? 5)

. (바로, 계약서, 꼼꼼히 읽다) **계약서를 자세히 읽지**
않고 계약을 하면 나중에 다른 집으로 이사할 때 문제가 있거나 보증금을 돌려받지 못할 수도
있습니다.

1. 다음을 잘 읽고 알맞은 것을 골라 쓰세요.

| 개다 | 닦다 | 털다 | 설거지를 하다 | 쓰레기통을 비우다 |

1) [   ] 걸레로 더러운 곳을 문질러 깨끗하게 해요.

2) [   ] 옷이나 수건, 이불을 반듯하게 접어요.

3) [   ] 사용한 그릇을 깨끗하게 씻어요.

4) [   ] 물건에 붙어 있는 먼지를 쳐서 없어지게 만들어요.

5) [   ] 쓰레기통에 있는 쓰레기를 모두 버려요.

2. 다음을 잘 읽고 알맞은 것을 골라 글을 완성해 보세요.

| 돌리다 | 닦다 | 털다 | 쓰레기통을 비우다 | 설거지를 하다 |

오늘 오후에 집들이를 하기로 해서 친구들이 오기 전에 집 청소를 했어요. 먼저 책상과 가전제품 위에 먼지가 있어서 먼지를 1) (   ). 그리고 방바닥이 더러워서 청소기를 2) (   ) 바닥을 걸레로 3) (   ). 또 쓰레기통에 쓰레기가 가득 차 있어서 4) (   ). 방 청소를 다 끝내고 주방 청소를 했어요. 씻지 않은 그릇과 컵이 있어서 5) (   ). 아주 잠깐 청소한 것 같은데 벌써 친구들이 올 시간이 다 되었어요.

1. 다음과 같이 문장을 바꿔 보세요.

> 밥을 먹은 후에 이를 닦아요. → 밥을 먹고 나서 이를 닦아요.

1) 청소를 한 후에 요리를 해요. → _____ .

2) 수업을 들은 후에 집에 가요. → _____ .

3) 영화를 본 후에 밥 먹으러 갈까요? → _____ ?

4) 졸업한 후에 취직할 거예요. → _____ .

5) 시험을 본 후에 친구들과 노래방에 가서 놀고 싶어요.

→ _____ .

2. 다음과 같이 알맞은 것을 골라 써 보세요.

| 숙제하다 | 운동하다 | 졸업하다 | 청소하다 | 생각해 보다 |

> 가 : 어제 뭐 했어요?
> 나 : 어제 아침에 운동하고 나서 친구를 만났어요.

1) 가 : 이번 주말에 여행 갈래요?

　　나 : 주말에 좀 쉬고 싶은데 _____ 연락할게요.

2) 가 : 어제저녁에 뭐 했어요?

　　나 : _____ 텔레비전을 봤어요.

3) 가 : 내년에 졸업하지요? 졸업하면 뭐 하려고 해요?

　　나 : _____ 대학원에 입학할 거예요.

4) 가 : 친구들 올 시간이 얼마 안 남았네요.

　　나 : 그러게요. _____ 요리를 시작해야겠어요.

1. 빈칸을 채워 보세요.

가다	갈 테니까	놀다	놀 테니까
사다		자다	
먹다		읽다	
오다		준비하다	
듣다		돕다	

2. 다음과 같이 문장을 바꿔 보세요.

> 가 : 너무 피곤해서 운전을 못 하겠어요.   나 : 그럼 제가 할게요. 좀 쉬세요.
> → 그럼 제가 할 테니까 좀 쉬세요.

1) 가 : 청소를 어떻게 할까요?   나 : 방 청소는 제가 할게요. 설거지 좀 해 주세요.
   → _____ .

2) 가 : 비가 오는데 우산이 없어요.   나 : 제가 빌려줄게요. 걱정하지 마세요.
   → _____ .

3) 가 : 한국어가 너무 어려워요.   나 : 제가 도와줄게요. 같이 공부해요.
   → _____ .

4) 가 : 미안해요. 지갑을 집에 두고 왔어요.   나 : 그럼 오늘은 제가 살게요. 다음에는 주노 씨가 사세요.
   → _____ .

3. 다음과 같이 알맞은 것을 골라 써 보세요.

놀다	먹다	보다	자다	도와주다

> 일이 많아요? 제가 도와줄 테니까 걱정하지 마세요.

1) 배가 너무 고프네. 이 빵은 내가 _____   넌 이따가 다른 거 먹어.
2) 지금 좀 피곤해서 _____   깨우지 마세요.
3) 근처 공원에서 _____   시간 있으면 오세요.
4) 책 좀 _____   조용히 해 주세요.

1. 대화를 듣고 들은 내용으로 <u>틀린</u> 것을 고르세요.

  ① 수지 씨는 집들이 준비를 다 했어요.

  ② 유진 씨는 거실 청소를 하려고 해요.

  ③ 두 사람은 같이 청소를 할 거예요.

  ④ 유진 씨는 청소를 끝내고 쓰레기를 버릴 거예요.

2. 다시 대화를 들으면서 빈칸에 알맞은 말을 써 보세요.

> 유진 : 수지야, 너 오늘 1) _____ ?
>
>   집이 너무 더럽네.
>
> 수지 : 오늘 집들이 때문에 이것저것 준비한다고 너무 바빠서 청소할 시간이 없었어.
>
> 유진 : 우선 지금 시간이 없으니까 같이 청소부터 하자. 2) _____
>
>   _____ .
>
> 수지 : 유진, 정말 고마워. 그럼 미안하지만 거실 청소 좀 도와줘.
>
> 유진 : 그래. 내가 3) _____ .
>
> 수지 : 그럼 나는 네가 4) _____ .
>
> 유진 : 거실 청소 다 끝나면 5) _____ .

3. 대화를 듣고 따라 해 보세요.

  1) 위의 대본을 보세요. 대본을 보면서 듣고 따라 해 보세요.

  2) 위의 대본을 보지 않고 들으면서 따라 해 보세요.

4. 발음과 억양에 유의해서 다음 문장을 듣고 따라 해 보세요.

> 먼지를 / 털고 나서 / 청소기를 / 돌릴게.

1.　　다음 글을 읽고 질문에 답하세요.

　　　최근 한국인 남성과 여성을 대상으로 좋아하는 집안일에 대해서 조사를 실시하였습니다. 조사 결과 남성의 경우 장보기가 1위를 차지했습니다. 그다음으로 설거지가 2위로 나타났고 집 청소와 빨래가 뒤를 이었습니다. 마지막으로 식사 준비는 5위를 차지했습니다. 반면 여성의 경우 가장 좋아하는 집안일로 집 청소가 1위였습니다. 2위는 빨래였으며 식사 준비와 설거지가 각각 3위와 4위로 나타났습니다. 마지막으로 장보기는 5위였습니다. 이 조사 결과를 통해서 남성과 여성이 좋아하는 집안일이 서로 다르다는 것을 알 수 있습니다. 남성의 경우 장보기를 좋아하고 식사 준비를 별로 좋아하지 않지만 여성의 경우 집 청소를 좋아하고 장보기를 별로 좋아하지 않았습니다. 그렇다면 집안일을 할 때 각자 좋아하는 것을 하면서 서로 돕는 게 어떨까요? 좋아하지 않는 집안일이라도 남성과 여성 모두 서로 도우면서 집안일을 한다면 더욱 행복한 가정을 만들 수 있을 것입니다.

1)　윗글의 내용과 같은 것을 고르세요.

① 여성은 집을 청소하는 것을 가장 좋아했어요.
② 여성의 경우 빨래하는 것을 좋아하지 않았어요.
③ 남성의 경우 식사 준비하는 것을 제일 좋아했어요.
④ 남성과 여성 모두 장 보는 것을 가장 좋아하지 않았어요.

2)　윗글을 보고 다음 그래프를 완성해 보세요.

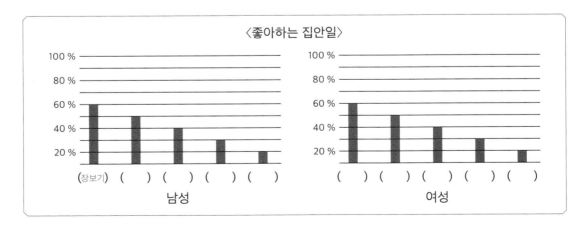

2.　　새로 알게 된 어휘와 문법에 표시하면서 윗글을 다시 읽어 보세요.

---

1. 앞에서 읽은 글의 내용을 떠올려 보세요. 읽은 내용을 간단히 정리해 보세요.

....

....

....

....

....

....

---

2. 다음의 (　　　) 속 핵심어를 참고하여 빈칸에 알맞은 문장을 써서 글을 완성해 보세요.

　　　최근 한국인 남성과 여성을 대상으로 좋아하는 집안일에 대해서 조사를 실시하였습니다. 조사 결과 1) _____. (남성, 장보기, 1위를 차지하다) 그다음으로 설거지가 2위로 나타났고 집 청소와 빨래가 뒤를 이었습니다. 마지막으로 식사 준비는 5위를 차지했습니다. 반면 여성의 경우 2) _____ _____. (가장 좋아하는 집안일, 집청소, 1위) 2위는 빨래였으며 식사 준비와 설거지가 각각 3위와 4위로 나타났습니다. 마지막으로 장보기는 5위였습니다. 이 조사 결과를 통해서 3) _____ _____. (남성과 여성, 좋아하는 집안일, 서로 다르다, 알 수 있다) 남성의 경우 장보기를 좋아하고 식사 준비를 별로 좋아하지 않지만 여성의 경우 집 청소를 좋아하고, 장보기를 별로 좋아하지 않았습니다. 그렇다면 4) _____ _____? (집안일을 하다, 각자 좋아하는 것을 하다, 서로 돕다, 어떻다) 좋아하지 않는 집안일이라도 남성과 여성 모두 5) _____ _____. (서로 돕다, 집안일을 하다, 더욱, 행복한 가정을 만들다)

1. 다음을 잘 읽고 알맞은 것을 골라 쓰세요.

| 교환하다 | 영수증 | 망가지다 | 저렴하다 | 구입하다 |

1) [　　　　　] ⌒⌒ 물건을 사요.

2) [　　　　　] ⌒⌒ 물건의 가격이 싸요.

3) [　　　　　] ⌒⌒ 물건을 사고 계산을 할 때 받는 거예요.

4) [　　　　　] ⌒⌒ 물건에 문제가 생겨서 사용할 수 없게 되었어요.

5) [　　　　　] ⌒⌒ 마음에 들지 않거나 사이즈가 맞지 않아서 다른 물건으로 바꿔요.

2. 다음을 잘 읽고 알맞은 것을 골라 글을 완성해 보세요.

| 구입하다 | 결제하다 | 영수증 | 환불하다 | 사이즈가 안 맞다 |

　　물건을 1) (　　　　　　　　　　) 디자인이 마음에 들지 않거나 2) (

　　　　　　　　　　) 교환하거나 환불할 수 있습니다. 교환하거나 환불을 할 때에는

3) (　　　　　　　　　) 필요합니다. 카드로 4) (　　　　　　　　　　　) 경우에는

카드만 있어도 됩니다. 하지만 물건을 산 후 일주일이 지나면 교환하거나 환불할 수 없습니다.

그리고 세일 상품은 5) (　　　　　　　　　　) 없습니다. 교환만 가능합니다. 그리고 이미

사용한 물건은 교환하거나 환불할 수 없습니다.

-아 / 어 보니까

---

1. 빈칸을 채워 보세요.

가다	가 보니까	배우다	배워 보니까
신다		받다	
잡다		여행하다	
만들다		보다	
듣다		운전하다	

---

2. 다음과 같이 문장을 바꿔 보세요.

> 한국 음식을 먹어 봤어요. 맛있었어요. → 한국 음식을 먹어 보니까 맛있었어요.

1) 한국 음악을 들어 봤어요. 좋았어요. → _____.

2) 번지 점프를 해 봤어요. 무서웠어요. → _____.

3) 김치를 만들어 봤어요. 생각보다 쉬웠어요. → _____.

4) 운동화를 신어 봤어요. 저한테 딱 맞았어요. → _____.

---

3. 다음과 같이 알맞은 것을 골라 바꾸어 써 보세요.

듣다	보다	살다	하다	배우다

> 한국에 살아 보니까 정말 좋아요.

1) 영화관에서 영화를 _____ 더 재미있었어요.

2) 중국어를 _____ 조금 어려워요.

3) 라디오를 _____ 좋았어요.

4) 한국 요리를 _____ 생각보다 쉬웠어요.

1. 빈칸을 채워 보세요.

사다	사려면	모으다	모으려면
보다		만나다	
부르다		일하다	
먹다		걷다	
만들다		등산하다	

2. 다음과 같이 문장을 바꿔 보세요.

> 한국어 수업을 신청하고 싶어요. 사무실로 가야 해요.
> → 한국어 수업을 신청하려면 사무실로 가야 해요.

1) 옷을 환불하고 싶어요. 영수증이 필요해요.

   → _____.

2) 도서관에 갈 거예요. 808번 버스를 타세요.

   → _____.

3) 수업 시간에 늦지 않을 거예요. 일찍 일어나야 해요.

   → _____.

4) 외국인 등록증을 만들고 싶어요. 사진을 준비하세요.

   → _____.

3. 다음과 같이 알맞은 것을 고르세요.

> 한국어를 ((잘하려면)/ 잘하면) 한국 친구와 이야기를 많이 해야 해요.

1) 글을 (잘 쓰려면 / 잘 쓰면) 책을 많이 읽어야 해요.

2) 지하철을 (타려면 / 타면) 수업에 늦지 않을 거예요.

3) 지금 바로 (출발하려면 / 출발하면) 12시 전에 도착할 수 있어요.

4) 선생님을 (만나려면 / 만나면) 수업 후에 사무실에 가 보세요.

1. 대화를 듣고 들은 내용으로 맞는 것을 고르세요.

① 여자는 까만색 운동화를 많이 가지고 있어요.

② 여자는 지금 까만색 운동화를 가져갈 수 없어요.

③ 여자는 집에서 운동화를 다시 확인해 보지 않았어요.

④ 여자는 운동화가 마음에 들지 않아서 교환하려고 해요.

2. 다시 대화를 들으면서 빈칸에 알맞은 말을 써 보세요.

마리 : 어제 이 운동화를 사 갔는데요. 1) ....

직원 : 네. 손님. 운동화에 무슨 문제가 있나요?

마리 : 이것 좀 봐 주세요. 2) ....

....

직원 : 아, 그러네요. 정말 죄송합니다. 3) ....

.... 손님. 지금 이 까만색 운동화는 없고, 하얀색 운동화만 있습니다.

마리 : 그래요? 4) .... ?

직원 : 아니요. 지금 가게에 없는데 주문하면 3일 후에는 받으실 수 있습니다. 조금 기다려 주시겠어요?

마리 : 그럼 기다릴게요. 5) ....

직원 : 네. 그럼 지금 바로 주문을 하겠습니다. 운동화가 가게에 오면 연락 드리겠습니다.

다시 한번 죄송합니다.

3. 대화를 듣고 따라 해 보세요.

1) 위의 대본을 보세요. 대본을 보면서 듣고 따라 해 보세요.

2) 위의 대본을 보지 않고 들으면서 따라 해 보세요.

4. 발음과 억양에 유의해서 다음 문장을 듣고 따라 해 보세요.

집에 가서 / 다시 보니까 / 작은 얼룩이 있고 / 여기 오른쪽은 / 장식이 떨어졌어요.

1. 다음 글을 읽고 질문에 답하세요.

〈교환 및 환불 안내〉

안녕하십니까? 저희 세종백화점을 찾아 주셔서 감사합니다. 세종백화점에서 물건을 구입하신 후 교환이나 환불을 하실 경우 유의하실 사항을 안내해 드리겠습니다. 먼저, 물건을 구입한 후 사이즈가 맞지 않거나, 디자인이 마음에 들지 않으면 7일 이내에 교환하거나 환불을 하실 수 있습니다. 둘째, 사용하신 물건은 교환이나 환불을 하실 수 없습니다. 교환, 환불을 하시려면 사용하지 않은 상태로 가져오셔야 됩니다. 옷이나 신발의 경우, 세탁을 하신 후에는 교환, 환불을 하실 수 없습니다. 셋째, 태그(tag)가 없는 상품은 교환이나 환불이 불가능합니다. 넷째, 세일 상품은 교환만 가능합니다. 마지막으로, 교환을 하거나 환불을 하실 때 결제하신 카드와 영수증을 꼭 가져오셔야 합니다. 다른 문의 사항이 있으실 때는 세종백화점 홈페이지 '교환 및 환불' 게시판을 이용해 주시기 바랍니다. 감사합니다.

1) 윗글의 내용과 같은 것을 고르세요.

① 세일 상품도 교환하거나 환불할 수 있어요.
② 궁금한 것이 있으면 전화로 문의를 하면 돼요.
③ 구입한 물건의 태그가 없어도 교환할 수 있어요.
④ 교환하려면 영수증이나 결제한 카드가 필요해요.

2) 환불을 할 수 없는 제품은 뭐예요?

① 5일 전에 산 신발
② 얼룩이 묻어서 세탁한 티셔츠
③ 사용하지 않은 끈이 떨어진 가방
④ 디자인이 마음에 들지 않는 바지

2. 새로 알게 된 어휘와 문법에 표시하면서 윗글을 다시 읽어 보세요.

1. 앞에서 읽은 글의 내용을 떠올려 보세요. 읽은 내용을 간단히 정리해 보세요.

....

....

....

....

....

....

2. 다음의 (　　　) 속 핵심어를 참고하여 빈칸에 알맞은 문장을 써서 글을 완성해 보세요.

〈교환 및 환불 안내〉

안녕하십니까? 저희 세종백화점을 찾아 주셔서 감사합니다. 세종백화점에서 물건을 구입하신 후 교환이나 환불을 하실 경우 유의하실 사항을 안내해 드리겠습니다. 먼저, 물건을 구입한 후 1) _____

_____ (사이즈, 디자인, 7일 이내) 교환하거나 환불을 하실 수 있습니다. 둘째, 사용하신 물건은 교환이나 환불을 하실 수 없습니다. 교환, 환불을 하시려면 사용하지 않은 상태로 가져오셔야 됩니다. 옷이나 신발의 경우, 2) _____

_____ . (세탁, 교환, 환불) 셋째, 3) _____

_____ . (태그(tag), 교환, 환불) 넷째, 세일 상품은 교환만 가능합니다. 마지막으로, 교환을 하거나 환불을 하실 때 4) _____

_____ . (결제하다, 카드와 영수증) 다른 문의 사항이 있으실 때는 세종백화점 홈페이지 '교환 및 환불' 게시판을 이용해 주시기 바랍니다. 감사합니다.

1.

다음을 잘 읽고 알맞은 것을 골라 쓰세요.

| 플러그 | 서비스 센터 | 고치다 | 전원을 켜다 | 배터리가 나가다 |

1) [　　　　　　] ⌒⌒ 물건이 고장 나서 수리했어요.

2) [　　　　　　] ⌒⌒ 전자 제품 전원을 켜려면 이것을 꽂아야 해요.

3) [　　　　　　] ⌒⌒ 전자 제품을 사용할 때 가장 먼저 이것을 해야 해요.

4) [　　　　　　] ⌒⌒ 휴대폰을 충전하지 않아서 휴대폰 전원이 켜지지 않아요.

5) [　　　　　　] ⌒⌒ 전자 제품이 고장 나면 이곳에 가서 수리 받을 수 있어요.

2.

다음을 잘 읽고 알맞은 것을 골라 글을 완성해 보세요.

| 버튼이 안 눌리다 | 수리를 맡기다 | 고치다 | 서비스 센터 | 고장 나다 |

노트북이 1) (　　　　　　　　　　　　　　). 어제 동생이 제 노트북을 바닥에 떨어뜨렸는데

화면이 안 나오고 2) (　　　　　　　　　　　　　　). 그리고 전원도 안 켜져요. 노트북을

3) (　　　　　　　　　　　) 싶은데 어떻게 하지요? 4) (　　　　　　　　　　　　　　)

가면 고칠 수 있나요? 이번 주에 노트북을 꼭 써야 하는데 보통 5) (　　　　　　　　　　)

얼마나 걸리나요? 수리비는 얼마나 들까요?

1. 다음과 같이 문장을 바꿔 보세요.

> 가 : 유진 씨는 영어를 잘하네요.
> 나 : 미국에서 왔어요. 몰랐어요? → 미국에서 왔잖아요.

1) 가 : 저 식당은 왜 늘 사람이 많을까요?

　　나 : 싸고 맛있어요. 몰랐어요? 　　　　→ ....

2) 가 : 왜 이렇게 도서관에 사람이 많아요?

　　나 : 시험 기간이에요. 몰랐어요? 　　→ ....

3) 가 : 미나 씨는 어디에 갔어요?

　　나 : 수리 센터에 갔어요. 몰랐어요? 　→ ....

4) 가 : 오늘 안나 씨가 학교에 안 왔네요.

　　나 : 다리를 다쳤어요. 몰랐어요? 　　→ ....

5) 가 : 오늘 학교에 사람이 정말 많네요.

　　나 : 오늘 입학식이에요. 몰랐어요? 　→ ....

2. 다음과 같이 알맞은 것을 골라 바꾸어 써 보세요.

| 아프다 | 생일이다 | 한글날이다 | 비가 오다 | 성격이 좋다 | 두 번 눌러야 하다 |

> 가 : 오늘 마리 씨 생일이지요?
> 나 : 네? 오늘은 재민 씨 생일이잖아요.

1) 가 : 10월 9일이 무슨 날이에요?

　　나 : 10월 9일은 ....

2) 가 : 유진 씨는 친구들에게 인기가 많은 것 같아요.

　　나 : 유진 씨는 ....

3) 가 : 우산을 왜 가져왔어요?

　　나 : 오후부터 ....

4) 가 : 어? 이게 왜 안 켜지지?

　　나 : 그건 ....

5) 가 : 선생님께서 늦으시네요.

　　나 : 어, 못 들었어요? 선생님께서 많이 ....

-(으)려다가

1.   빈칸을 채워 보세요.

보다	보려다가	듣다	들으려다가
사다		배우다	
찾다		마시다	
씻다		게임하다	
살다		돕다	

2.   다음과 같이 문장을 바꿔 보세요.

> 영화를 보려고 했어요. 그런데 피곤해서 집에서 쉬었어요.
> → 영화를 보려다가 피곤해서 집에서 쉬었어요.

1)   노트북을 수리하려고 했어요. 그런데 새로 샀어요.

    → _____ .

2)   떡볶이를 먹을까 했어요. 그런데 햄버거를 먹기로 했어요.

    → _____ .

3)   취직을 하려고 했어요. 한국에 유학 오게 되었어요.

    → _____ .

4)   버스를 탈까 했어요. 그런데 길이 복잡할 것 같아서 지하철을 타고 왔어요.

    → _____ .

3.   다음과 같이 알맞은 것을 골라 바꾸어 써 보세요.

가다	듣다	(먹다)	살다	수리하다

> 밥을 먹으려다가 라면을 먹었어요.

1)   등산을 _____ 비가 와서 못 갔어요.

2)   에어컨을 _____ 새로 샀어요.

3)   음악을 _____ 피곤해서 잤어요.

4)   원룸에 _____ 기숙사에 살기로 했어요.

1. 대화를 듣고 들은 내용으로 맞는 것을 고르세요.

① 마리 씨는 얼마 전에 컴퓨터를 고쳤어요.
② 재민 씨의 컴퓨터는 인터넷 연결이 안 돼요.
③ 마리 씨는 컴퓨터 수리를 전혀 할 줄 몰라요.
④ 재민 씨는 컴퓨터를 서비스 센터에 가져가야 해요.

2. 다시 대화를 들으면서 빈칸에 알맞은 말을 써 보세요.

마리 : 재민 씨, 미안한데 제 컴퓨터 좀 봐 줄 수 있어요?

재민 : 네. 잠깐만요. 무슨 문제가 있어요?

마리 : 이상한 소리가 나고, 1) _____.

재민 : 그래요? 2) _____.

마리 : 맞아요. 그건 큰 문제가 아니라서 제가 바로 수리했는데 이번에는 뭐가 문제인지 잘 모르겠어요.

재민 : 뒤에 플러그가 잘 꽂혀 있는지 확인해 보세요. 3) _____

_____.

마리 : 플러그는 잘 꽂혀 있어요. 4) _____?

재민 : 네. 제 컴퓨터는 아무 문제 없어요. 제가 한번 볼게요. 마리 씨, 5) _____

_____. 이것만 연결하면 괜찮을 것 같아요. 어때요?

마리 : 잠깐만요. 네. 이제 인터넷 연결됐어요. 고마워요. 서비스 센터에 가져가야 하나 걱정했는데 재민 씨 덕분에 안 가도 되겠어요.

3. 대화를 듣고 따라 해 보세요.

1) 위의 대본을 보세요. 대본을 보면서 듣고 따라 해 보세요.

2) 위의 대본을 보지 않고 들으면서 따라 해 보세요.

4. 발음과 억양에 유의해서 다음 문장을 듣고 따라 해 보세요.

서비스 센터에 가져가야 하나 / 걱정했는데 / 재민 씨 덕분에 / 안 가도 되겠어요.

1. 다음 글을 읽고 질문에 답하세요.

> ### Q. 휴대폰 수리 신청
>
> 저는 6개월 전에 휴대폰을 구입했습니다. 그런데 휴대폰에 문제가 있어서 수리하고 싶습니다. 일주일 전에 휴대폰에 물을 쏟았는데 그 후로 화면이 자꾸 꺼지고 버튼도 잘 안 눌러집니다. 휴대폰을 수리하려면 어떻게 해야 합니까? 제가 품질 보증서를 잃어버렸는데 수리할 수 있나요? 휴대폰에 급하게 봐야 할 것이 많은데 수리 기간은 얼마나 걸립니까? 그리고 수리비는 얼마입니까? 알려 주세요.
>
> └ Re. 세종전자입니다.
>
> 안녕하십니까? 먼저, 휴대폰을 수리하시려면 저희 세종전자 홈페이지에서 수리 신청을 하시면 됩니다. 신청을 하실 때 이름, 연락처, 고장 제품, 고장 내용을 써 주시면 됩니다. 품질 보증서가 있으면 수리비가 없습니다. 만약 품질 보증서가 없으면 수리비는 10만 원 정도 듭니다. 수리는 일주일 정도 걸립니다. 신청서를 제출하시면 확인 후에 연락 드리겠습니다. 감사합니다.

1) 윗글의 내용과 같은 것을 고르세요.

① 전화로 수리 신청을 할 수 있어요.
② 이 사람은 휴대폰을 고치려고 해요.
③ 이 사람은 무료로 수리 받을 수 있어요.
④ 신청서를 제출하면 일주일 후에 수리 받을 수 있어요.

2) 윗글을 읽고 수리 신청서를 작성해 보세요.

수리 신청서			
이름		고장 제품	
연락처		고장 이유	
품질 보증서	○ / ×	고장 내용	

2. 새로 알게 된 어휘와 문법에 표시하면서 윗글을 다시 읽어 보세요.

1. 앞에서 읽은 글의 내용을 떠올려 보세요. 읽은 내용을 간단히 정리해 보세요.

....

....

....

....

....

....

2. 다음의 (   ) 속 핵심어를 참고하여 빈칸에 알맞은 문장을 써서 글을 완성해 보세요.

Q. 휴대폰 수리 신청

저는 6개월 전에 휴대폰을 구입했습니다. 그런데 휴대폰에 문제가 있어서 수리하고 싶습니다.

일주일 전에 휴대폰에 물을 쏟았는데 그 후로 1) _____

_____ . (화면, 꺼지다, 버튼, 안 눌러지다)

휴대폰을 수리하려면 어떻게 해야 합니까? 제가 품질 보증서를 잃어버렸는데 수리할 수 있나요?

휴대폰에 급하게 봐야 할 것이 많은데 2) _____

_____ ? (수리 기간, 얼마나, 걸리다)

그리고 수리비는 얼마입니까? 알려 주세요.

↳ Re. 세종전자입니다.

안녕하십니까? 먼저, 휴대폰을 수리하시려면 저희 세종전자 3) _____

_____ . (홈페이지, 수리 신청) 신청을 하실 때 이름, 연락처,

고장 제품, 고장 내용을 써 주시면 됩니다. 품질 보증서가 있으면 수리비가 없습니다. 만약

4) _____

_____ . (품질 보증서, 수리비, 10만 원 정도)

수리는 일주일 정도 걸립니다. 신청서를 제출하시면 확인 후에 연락드리겠습니다. 감사합니다.

1. 다음을 잘 읽고 알맞은 것을 골라 쓰세요.

| 어버이날 | 스승의 날 | 밸런타인데이 | 기념행사 | 외식을 하다 |

1) [   ] 밖에서 음식을 사 먹어요.

2) [   ] 부모님께 감사하는 날이에요.

3) [   ] 선생님께 감사하는 날이에요.

4) [   ] 좋아하는 사람에게 초콜릿을 선물하는 날이에요.

5) [   ] 어떤 것을 기억하거나 축하하기 위해 하는 여러 가지 일을 말해요.

2. 다음을 잘 읽고 알맞은 것을 골라 글을 완성해 보세요.

| 달아 드리다 | 건강식품 | 어버이날 | 케이크를 주문하다 | 외식을 하다 |

한국에서 5월 8일은 부모님께 감사의 마음을 전하는 1) (   ).
작년 어버이날에 부모님께 어떤 선물을 드리면 좋을지 고민하다가 두 분이 항상 건강하셨으면
좋겠다고 생각해서 2) (   ) 꽃을 준비했습니다. 준비한 꽃은
부모님 옷에 3) (   ). 올해는 식당을 예약해서 부모님과
4) (   ). 식사 후에 같이 먹으려고
부모님이 좋아하시는 5) (   ).
어머니, 아버지께서 기뻐하시면 좋겠습니다.

-(으)ㄴ 지

---

1. 빈칸을 채워 보세요.

먹다	먹은 지	살다	산 지
사다		듣다	
자다		만나다	
찾다		배우다	
입다		돕다	

---

2. 다음과 같이 문장을 바꿔 보세요.

> 일주일 동안 청소를 안 했어요. → 청소를 안 한 지 일주일 됐어요.

1) 1년 동안 고향에 못 갔어요. → ＿＿＿＿＿＿＿＿＿＿＿＿＿＿＿＿.

2) 오래전에 이 책을 읽었어요. → ＿＿＿＿＿＿＿＿＿＿＿＿＿＿＿＿.

3) 6개월 전부터 한국어를 배웠어요. → ＿＿＿＿＿＿＿＿＿＿＿＿＿＿.

4) 10년 전부터 미나 씨를 알았어요. → ＿＿＿＿＿＿＿＿＿＿＿＿＿＿.

---

3. 다음과 같이 알맞은 것을 골라 바꾸어 써 보세요.

돕다	듣다	살다	(오다)	만들다

> 한국에 온 지 1년 됐어요.

1) 서울에 ＿＿＿＿＿＿＿＿＿ 2년 됐어요.

2) 라디오를 ＿＿＿＿＿＿＿＿＿ 2시간 됐어요.

3) 떡볶이를 ＿＿＿＿＿＿＿＿＿ 1시간 됐어요.

4) 선생님 일을 ＿＿＿＿＿＿＿＿＿ 30분 지났어요.

–자고 하다

---

1. 다음과 같이 문장을 바꿔 보세요.

> 안나 : "주말에 수영장에 같이 가요."
> → 안나 씨가 주말에 수영장에 가자고 했어요.

1) 마크 : "학교 끝나고 같이 영화 보러 가요."

   → _____ .

2) 수지 : "오늘 저녁에 같이 농구 하자."

   → _____ .

3) 주노 : "주말에 산책하러 갈까요?"

   → _____ .

4) 재민 : "어버이날 선물을 같이 사러 갈래?"

   → _____ .

5) 아버지 : "주말에 가족들 모두 모여서 같이 밥 먹자."

   → _____ .

---

2. 다음과 같이 대화를 완성해 보세요.

> 유진 : "수업 끝나고 같이 백화점에 가자."

가 : 오늘 같이 점심 먹을래? / 나 : 미안해. 유진이 수업 끝나고 같이 백화점에 가자고 했어.

1) > 마리 : "일 끝나고 저녁에 같이 테니스 쳐요."

   가 : 오늘 저녁에 뭐 해요? / 나 : _____ .

2) > 주노 : "집에서 같이 떡볶이를 만들자."

   가 : 갑자기 주노 씨 집에 왜 가요? / 나 : _____ .

3) > 안나 : "도서관 앞에서 만나요."

   가 : 안나 씨하고 어디에서 만날 거예요? / 나 : _____ .

4) > 유진 : "날씨가 추우니까 오늘 운동을 하지 말자."

   가 : 오늘은 유진 씨하고 운동하러 안 가요? / 나 : _____ .

1. 대화를 듣고 들은 내용으로 맞는 것을 고르세요.

   ①   재민 씨는 3년 전에 결혼했습니다.

   ②   마리 씨는 남자에게 식당을 추천했습니다.

   ③   마리 씨는 부모님의 결혼기념일에 꽃다발을 준비했습니다.

   ④   재민 씨는 부모님의 결혼기념일에 가족들과 식사를 할 것입니다.

2. 다시 대화를 들으면서 빈칸에 알맞은 말을 써 보세요.

   > 마리 : 재민 씨, 뭘 그렇게 열심히 보고 있어요?
   >
   > 재민 : 식당 좀 알아보고 있었어요. 마리 씨 생각엔 여기 어때요? 1) _____
   > _____ ?
   >
   > 마리 : 와, 분위기가 좋네요. 여기 엄청 좋은 식당 같은데 무슨 특별한 날이에요?
   >
   > 재민 : 곧 2) _____ . 그래서 그날 여기에 가 볼까 싶어서요.
   >
   > 마리 : 어, 그럼 부모님이 데이트하실 수 있게 재민 씨는 빠져야 하는 거 아니에요?
   >
   > 재민 : 올해 저희 부모님이 3) _____ .
   > 그래서 가족들이 다 같이 모여서 축하해 드리려고요.
   >
   > 마리 : 아, 그렇구나. 저는 4) _____ . 재민 씨 대단하네요.
   >
   > 재민 : 하하, 그렇지 않아요. 선물도 드리고 싶은데 선물은 아직 못 정했어요.
   >
   > 마리 : 음. 식당 예약을 했으니까 그냥 5) _____ ?
   > 기념일에는 역시 꽃이 있어야죠.
   >
   > 재민 : 역시 꽃다발이 제일 좋겠죠? 그럼 그렇게 해야겠어요.

3. 대화를 듣고 따라 해 보세요.

   1)   위의 대본을 보세요. 대본을 보면서 듣고 따라 해 보세요.

   2)   위의 대본을 보지 않고 들으면서 따라 해 보세요.

4. 발음과 억양에 유의해서 다음 문장을 듣고 따라 해 보세요.

   가족들이 / 다 같이 모여서 / 축하해 드리려고요.

1. 다음 글을 읽고 질문에 답하세요.

여러분, 혹시 음식을 만드는 재료와 관련된 기념일이 있다는 것 알고 있나요? 오늘은 음식 재료와 관련된 재미있는 한국의 기념일들을 알아보겠습니다!

먼저 5월 2일입니다. 이건 어떤 음식 재료와 관련된 날일까요? 숫자 5와 2. 바로 5월 2일은 날짜의 발음과 비슷한 오이를 먹는 날입니다. 그럼 9월 9일은 어떤 날일까요? 이번에도 '구'라는 발음이 들어 있는 음식 재료와 관련된 기념일일까요? 9월 9일에는 '구'가 두 번 들어가 있는데요. 한국 사람들은 '구구'가 닭의 울음소리와 비슷하다고 생각합니다. 그래서 이날은 닭고기나 달걀로 만든 요리를 먹는 날이라고 합니다. 마지막으로 소개할 기념일은 11월 11일입니다. '일'이 네 개나 들어가 있는데, 과연 그런 이름이나 소리의 음식 재료가 있을까요? 사실 이날은 음식 재료의 이름이 아니라 모양과 관련이 있는데요. 가래떡이라는 길고 하얀 떡이 있습니다. 이 떡의 모양이 숫자 1과 비슷하기 때문에 이날을 가래떡 먹는 날로 정했다고 해요.

그럼 왜 이렇게 여러 가지 음식 재료와 관련된 기념일을 만든 걸까요? 바로 채소를 키우는 농업, 그리고 닭이나 돼지, 소 등을 키우는 축산업 일을 하는 사람들을 응원하려고 만들었다고 해요. 오늘은 몇 월 며칠이에요? 오늘은 어떤 음식을 먹으면서 그 음식을 만드는 것에 도움을 준 사람들을 응원하면 좋을까요?

1) 다음 중 관련된 기념일이 있는 음식 재료는 뭐예요?

① 밥   ② 과자   ③ 달걀   ④ 소고기

2) 윗글의 내용과 <u>다른</u> 것을 고르세요.

① 채소를 싸게 사기 위해 만든 날이 있어요.
② 5월 2일은 오리고기로 만든 음식을 먹는 날이에요.
③ 한국어로 닭의 울음소리는 숫자 '9'와 발음이 비슷해요.
④ 가래떡과 숫자 '1'의 모양이 비슷해서 11월 11일에 떡을 먹어요.

2. 새로 알게 된 어휘와 문법에 표시하면서 윗글을 다시 읽어 보세요.

1. 앞에서 읽은 글의 내용을 떠올려 보세요. 읽은 내용을 간단히 정리해 보세요.

....

....

....

....

2. 다음의 (　　) 속 핵심어를 참고하여 빈칸에 알맞은 문장을 써서 글을 완성해 보세요.

　　여러분, 혹시 음식을 만드는 재료와 관련된 기념일이 있다는 것 알고 있나요? 오늘은 1) _____

_____ ! (음식 재료 관련, 한국의 기념일, 알아보다)

　　먼저 5월 2일입니다. 이건 어떤 음식 재료와 관련된 날일까요? 숫자 5와 2. 바로 5월 2일은 날짜의 발음과 비슷한 오이를 먹는 날입니다. 그럼 9월 9일은 어떤 날일까요? 이번에도 '구'라는 발음이 들어 있는 음식 재료와 관련된 기념일일까요? 9월 9일에는 '구'가 두 번 들어가 있는데요. 2) _____ . ('구구', 닭의 울음소리) 그래서 이날은 닭고기나 달걀로 만든 요리를 먹는 날이라고 합니다. 3) _____

_____ . (마지막, 기념일, 11월 11일) **'일'**이 네 개나 들어가 있는데, 과연 그런 이름이나 소리의 음식 재료가 있을까요? 사실 이날은 음식 재료의 이름이 아니라 모양과 관련이 있는데요. 가래떡이라는 길고 하얀 떡이 있습니다. 이 떡의 모양이 숫자 1과 비슷하기 때문에 이날을 4) _____ . (가래떡, 먹는 날, 정하다)

　　그럼 왜 이렇게 여러 가지 음식 재료와 관련된 기념일을 만든 걸까요? 바로 채소를 키우는 농업, 그리고 닭이나 돼지, 소 등을 키우는 축산업 일을 하는 사람들을 응원하려고 만들었다고 해요. 오늘은 몇 월 며칠이에요? 오늘은 어떤 음식을 먹으면서 그 음식을 만드는 것에 도움을 준 사람들을 응원하면 좋을까요?

1. 다음을 잘 읽고 알맞은 것을 골라 쓰세요.

국경일	신청서	기념품	상	예선

1) ⌒ 기념으로 주는 선물이에요.

2) ⌒ 본선에 올라가려면 이것을 통과해야 해요.

3) ⌒ 행사에 참가하려면 이것을 제출해야 해요.

4) ⌒ 나라의 좋은 일을 축하하기 위한 날이에요.

5) ⌒ 대회에 나가서 잘한 사람이 이것을 받아요.

2. 다음을 잘 읽고 알맞은 것을 골라 글을 완성해 보세요.

본선	한글날	제출하다	참가하다	상을 받다

1) ( ) 세종 대왕이 한글을 만든 것을 기념하는 날입니다. 작년에 이날을 기념하기 위해 다양한 행사가 열렸습니다. 저는 제 말하기 실력을 확인해 보려고 말하기 대회에 2) ( ). 대회 신청서를 인터넷으로 3) ( ) 말하기 대회를 위해서 열심히 준비했습니다. 4) ( ) 올라갔지만 상은 못 탔습니다. 많이 실망했지만 그 후 열심히 한국어를 공부했습니다. 올해 열리는 말하기 대회에 다시 참가해서 꼭 5) ( ).

-기 위해서

1. 다음과 같이 대화를 완성해 보세요.

> 가 : 왜 선물을 샀어요?
> 나 : 친구 생일을 축하하기 위해서 선물을 샀어. (친구 생일을 축하하다)

1) 가 : 왜 아르바이트를 해요?

   나 : _____. (여행을 가다)

2) 가 : 한국어를 공부하는 이유는 무엇입니까?

   나 : _____. (한국의 대학교에 입학하다)

3) 가 : 주노 씨, 요즘 과자나 사탕을 잘 안 먹네요.

   나 : 네. _____. (건강)

4) 가 : 어제 한국 대사관에는 왜 갔어요?

   나 : _____. (비자를 받다)

5) 가 : 와. 정말 고마워요! 이 파티를 누가 준비했어요?

   나 : 수지 씨, 놀랐어요? 우리가 _____. (수지 씨)

2. 다음과 같이 알맞은 것을 골라 바꾸어 써 보세요.

> 저   건강   기념   미래   요리   콘서트

> 한글날을 기념하기 위해서 다양한 행사가 열려요.
> 제 생일에 친구들이 저를 위해서 축하 파티를 준비해 줬어요.

1) 한국 음식을 _____ 재료를 샀어요.

2) 저는 _____ 열심히 공부해요.

3) 누나는 _____ 매일 아침에 운동을 해요.

4) 좋아하는 가수의 _____ 한국에 갔어요.

–아야겠다 / 어야겠다

---

1. 빈칸을 채워 보세요.

가다	가야겠다	듣다	들어야겠다
읽다		보다	
마시다		운동하다	
공부하다		사다	
만들다		돕다	

---

2. 다음과 같이 문장을 완성해 보세요.

> 책이 없다, 사다 → 책이 없으니까 사야겠어요.

1) 다음 주가 휴가이다, 여행을 가다 → _____ .

2) 머리가 아프다, 쉬다 → _____ .

3) 배가 고프다, 밥을 먹다 → _____ .

4) 내일이 시험이다, 공부하다 → _____ .

---

3. 다음과 같이 알맞은 것을 골라 바꾸어 써 보세요.

보다	끊다	마시다	공부하다	(청소하다)

> 가 : 방이 엉망이네요.
> 나 : 네. 방을 청소해야겠어요.

1) 가: 다음 주가 시험이에요.

   나: 그래요? 오늘부터 도서관에 가서 열심히 _____ .

2) 가: 요즘 그 영화가 인기가 있다고 해요.

   나: 저도 그 영화를 _____ .

3) 가: 건강을 위해서 담배를 그만 피우는 게 어때요?

   나: 네. 건강을 위해서 담배를 _____ .

4) 가: 오늘 날씨가 더워요.

   나: 날씨가 더우니까 물을 자주 _____ .

1. 대화를 듣고 들은 내용으로 맞는 것을 고르세요.
   01

   ① 편지 쓰기 대회는 오전에 해요.
   ② 유진 씨는 한글날 행사에 참가하지 않아요.
   ③ 주노 씨는 한글 편지 쓰기 대회에 참가할 거예요.
   ④ 안나 씨는 한국 음식 만들기 행사에 참가할 거예요.

2. 다시 대화를 들으면서 빈칸에 알맞은 말을 써 보세요.
   02

   주노 : 안나, 세종학당에서 한글날을 기념하기 위한 행사를 한다고 하는데 혹시 포스터 봤어? 재

   　　　미있는 행사가 많은 것 같은데 1) _____.

   안나 : 응. 봤어. 나도 행사에 참가할 거야.

   주노 : 그래? 무슨 행사에 참가하려고?

   안나 : 나는 유진하고 2) _____.

   주노 : 나는 한국어 쓰기에 자신이 없어서 다른 행사에 참여하고 싶은데….

   안나 : 그럼 한국 음식 만들기 행사는 어때? 3) _____

   　　　_____.

   주노 : 맞아. 음식 만들기가 재미있을 것 같아. 너도 같이 참가 신청하지 않을래?

   안나 : 4) _____?

   주노 : 아마 오전에 하는 것 같아.

   안나 : 편지 쓰기 대회는 오후에 하니까 5) _____.

3. 대화를 듣고 따라 해 보세요.
   03

   1) 위의 대본을 보세요. 대본을 보면서 듣고 따라 해 보세요.

   2) 위의 대본을 보지 않고 들으면서 따라 해 보세요.

4. 발음과 억양에 유의해서 다음 문장을 듣고 따라 해 보세요.
   04

   　　나는 / 한국어 쓰기에 자신이 없어서 / 다른 행사에 참여하고 싶은데….

1. 다음 글을 읽고 질문에 답하세요.

제목: 한글날 행사에 참여하세요.
보낸 사람: sejonghakdang_k@sjmail.com

09. 30. 17:02

안녕하십니까? 학생 여러분, 세종학당입니다.

10월 9일 한글날을 기념하기 위해 한글날 행사가 세종학당에서 열립니다. 올해도 세종학당 학생들을 위해 여러 가지 행사를 준비했습니다. 먼저, 오전 11시에는 한국 음식 만들기 행사가 열립니다. 그리고 오후 2시에는 한글 편지 쓰기 대회가 열립니다. 한국 음식 만들기와 한글 편지 쓰기 대회에는 세종학당 학생 누구나 참가할 수 있습니다. 그러나 미리 인터넷으로 참가 신청을 해야 합니다. 한국 음식 만들기 행사나 한글 편지 쓰기 대회에 참가하려는 학생은 10월 5일까지 세종학당 홈페이지에서 신청서를 써서 제출해 주세요. 한복 체험 행사는 11시부터 오후 4시까지 진행됩니다. 누구나 무료로 한복을 입어 보고 사진도 찍을 수 있습니다. 기념행사에 참여한 모든 분들에게 기념품을 드립니다. 한글날 기념행사에 대한 자세한 안내는 세종학당 홈페이지에서 볼 수 있습니다. 여러분의 많은 참여 바랍니다.

1) 10월 9일 한글날에 어떤 행사에 참여할 수 있어요?

① .... ② .... ③ ....

2) 윗글의 내용과 같은 것을 고르세요.

① 한복 체험 행사에 참가하려면 참가비를 내야 해요.
② 한글날 기념행사에 대해 질문하기 위해서 메일을 썼어요.
③ 기념행사에 참여한 사람들은 모두 기념품을 받을 수 있어요.
④ 미리 신청하지 않아도 한글 편지 쓰기 대회에 참가할 수 있어요.

2. 새로 알게 된 어휘와 문법에 표시하면서 윗글을 다시 읽어 보세요.

1. 앞에서 읽은 글의 내용을 떠올려 보세요. 읽은 내용을 간단히 정리해 보세요.

　　　　　　　　　　　　　　　　　　　　　　　　　　　　　　　　　　　　　　

　　　　　　　　　　　　　　　　　　　　　　　　　　　　　　　　　　　　　　

　　　　　　　　　　　　　　　　　　　　　　　　　　　　　　　　　　　　　　

　　　　　　　　　　　　　　　　　　　　　　　　　　　　　　　　　　　　　　

　　　　　　　　　　　　　　　　　　　　　　　　　　　　　　　　　　　　.

2. 다음의 (　　　) 속 핵심어를 참고하여 빈칸에 알맞은 문장을 써서 글을 완성해 보세요.

안녕하십니까? 학생 여러분, 세종학당입니다.

10월 9일 1)

　　　　　　　　　　　　　　　　　　　　. (한글날 기념, 행사, 열리다)

올해도 세종학당 학생들을 위해 여러 가지 행사를 준비했습니다. 먼저, 2)

　　　　　　　　　　　　　. (오전 11시, 한국 음식 만들기 행사) **그리고**

오후 2시에는 한글 편지 쓰기 대회가 열립니다. 한국 음식 만들기와 한글 편지 쓰기 대회에는 세종

학당 학생 누구나 참가할 수 있습니다. 그러나 3)

　　　　　　　　　　. (미리, 인터넷, 참가 신청) **한국 음식 만들기 행사나**

한글 편지 쓰기 대회에 참가하려는 학생은 10월 5일까지 4)

　　　　　　　　　. (세종학당 홈페이지, 신청서, 제출) **한복 체험 행사는**

11시부터 오후 4시까지 진행됩니다. 5)

　　　　　　　　　. (누구나, 무료, 한복을 입다, 사진을 찍다)

기념행사에 참여한 모든 분들에게 기념품을 드립니다. 한글날 기념행사에 대한 자세한 안내는 세

종학당 홈페이지에서 볼 수 있습니다. 여러분의 많은 참여 바랍니다.

1. 다음을 잘 읽고 알맞은 것을 골라 쓰세요.

폭설	한파	무더위	장마	소나기

1) [　　　　　] ⌒ 갑자기 비가 내리다가 그쳐요.

2) [　　　　　] ⌒ 너무 더워서 참기 힘든 날씨예요.

3) [　　　　　] ⌒ 겨울에 갑자기 온도가 많이 내려가서 너무 추워요.

4) [　　　　　] ⌒ 여름에 며칠 동안 계속 비가 와요.

5) [　　　　　] ⌒ 눈이 아주 많이 내려요.

2. 다음을 잘 읽고 알맞은 것을 골라 글을 완성해 보세요.

소나기	태풍	무더위	장마	푹푹 찌다

　　내일 날씨를 알려드리겠습니다. 내일 서울의 날씨는 맑겠지만 오후에는 점점 흐려져 잠시 1) (　　　　　　　　　　　　) 내리겠습니다. 부산은 어제와 같이 최고 기온이 38도로 2) (　　　　　　　　　　　　) 계속되겠습니다. 광주도 최고 기온이 39도로 3) (　　　　　　　　　　　　) 더운 날씨가 이어지겠습니다. 대구는 내일부터 일주일 동안 비가 계속 오는 4) (　　　　　　　　　　　　) 시작되겠습니다. 제주도는 오전부터 흐려져 오후에는 5) (　　　　　　　　　　　　) 때문에 바람이 많이 불고 비가 많이 오겠습니다.

–아지다 / 어지다

1. 빈칸을 채워 보세요.

작다	작아지다	많다	많아지다
춥다		크다	
길다		좋다	
맑다		흐리다	
다르다		덥다	

2. 다음과 같이 문장을 바꿔 보세요.

> 커피값이 작년에는 2,500원이었는데 올해는 3,000원이에요.
> → 커피값이 작년보다 비싸졌어요.

1) 한국어 수업 1급은 어렵지 않았는데 2급은 어려워요.

   → ....

2) 날씨가 맑았는데 갑자기 구름도 많고 어둡네요.

   → ....

3) 처음에는 한국 생활이 불편했는데 지금은 익숙해요.

   → ....

4) 이번 주말에 못 만날 것 같아요. 이번 주에 일이 갑자기 많네요.

   → ....

3. 다음과 같이 알맞은 것을 골라 써 보세요.

| 작다 | 춥다 | 고프다 | 흐리다 | 건강하다 |

> 어제까지는 날씨가 시원했는데 오늘 아침부터 추워졌어요.

1) 조금 전까지 하늘이 맑았는데 갑자기 ....

2) 운동을 열심히 해서 ....

3) 키가 커서 작년에 산 옷이 ....

4) 맛있는 음식을 먹는 방송을 보니까 저도 배가 ....

1. 빈칸을 채워 보세요.

작다	작은 대신에	사다	사는 대신에
멀다		찾다	
덥다		만들다	
좋다		오다	
다르다		산책하다	

2. 다음과 같이 문장을 바꿔 보세요.

> 가 : 밥 먹었어요?
> 나 : 배가 불러서 밥을 안 먹고 커피를 마셨어요. → 밥을 먹는 대신에 커피를 마셨어요.

1) 가 : 재민 씨는 커피를 안 드세요?
   나 : 방금 커피를 마셔서 커피 말고 주스를 마실 거예요.　→ _____.

2) 가 : 오늘도 도서관에서 공부할 거예요?
   나 : 아니요. 오늘은 도서관에 안 가고 학교에 가서 공부할 거예요.　→ _____.

3) 가 : 다이어트를 시작했어요?
   나 : 네. 그래서 요즘 저녁에는 밥을 안 먹고 샐러드를 먹어요.　→ _____.

4) 가 : 비가 많이 오네요.
   나 : 비가 많이 오니까 산책 가지 말고 영화를 보러 가는 게 어때요?　→ _____?

3. 다음과 같이 맞으면 ○, 틀리면 × 표시를 해 보세요.

> 가 : 버스를 타고 가면 시간이 오래 걸리지 않아요?
> 나 : 시간이 오래 걸리는 대신에 환승을 안 해도 돼요. (○)
> 　　시간이 오래 걸리는 대신에 불편해요. 　　　　　(×)

1) 가 : 이 식당의 음식이 다 비싸네요.
   나 : 식당 음식이 비싼 대신에 정말 맛있어요.　　　　　　(　)

2) 가 : 작년 겨울에는 눈이 많이 온 것 같아요.
   나 : 맞아요. 그렇지만 눈이 많이 온 대신에 별로 안 추웠던 것 같아요. (　)

3) 가 : 우유 사 왔어요?
   나 : 아니요. 우유가 없어서 우유 대신에 아무것도 못 사 왔어요.　(　)

4) 가 : 집이 회사와 가까워서 좋겠어요.
   나 : 네. 하지만 회사와 가까운 대신에 월세가 비싸요.　　　　(　)

1. 대화를 듣고 들은 내용으로 맞는 것을 고르세요.

① 안나 씨는 유진 씨에게 산책하러 가자고 해요.
② 유진 씨는 날씨가 흐리면 기분이 상쾌해져요.
③ 안나 씨는 날씨가 흐리면 기분이 안 좋아져요.
④ 유진 씨는 기분이 가라앉을 때 밖에 나가는 것을 좋아해요.

2. 다시 대화를 들으면서 빈칸에 알맞은 말을 써 보세요.

유진 : 안나, 오늘도 1) _____ . 벌써 며칠째인지 모르겠어.

안나 : 유진, 너는 흐린 날씨를 별로 안 좋아하나 보네.

유진 : 응. 날씨가 흐리면 기분이 가라앉아.

안나 : 그래? 난 날씨가 흐리면 오히려 2) _____ .

유진 : 부럽네. 나는 오늘같이 흐려서 기분이 가라앉는 날에는 3) _____

_____ .

안나 : 그러지 말고 지금 나랑 같이 밖에 나가서 산책하는 게 어때? 4) _____

_____ 기분이 좋아질 거야.

유진 : 알겠어. 5) _____ .

3. 대화를 듣고 따라 해 보세요.

1) 위의 대화를 보면서 듣고 따라 해 보세요.

2) 위의 대화를 보지 않고 들으면서 따라 해 보세요.

4. 발음과 억양에 유의해서 다음 문장을 듣고 따라 해 보세요.

오늘같이 흐려서 / 기분이 가라앉는 날에는 / 밖에서 노는 대신 /
집에서 음악을 들으면서 쉬고 싶어.

1. 다음 글을 읽고 질문에 답하세요.

여러분은 스트레스가 쌓일 때 어떤 일을 자주 하시나요? 스트레스가 쌓이면 남자와 여자가 무슨 일을 하는지에 대해 조사한 결과, 남자와 여자는 스트레스가 쌓일 때 하는 일이 다른 것으로 나타났습니다. 먼저, 남자는 스트레스가 쌓이면 게임을 하는 사람들이 50% 정도로 가장 많았습니다. 컴퓨터나 인터넷으로 게임을 하면 재미있기 때문에 스트레스가 많이 풀린다고 합니다. 그다음으로 운동을 하는 사람들이 30% 정도로 나타났습니다. 운동을 하면 기분이 상쾌해져서 스트레스가 풀린다고 대답했습니다. 또 20%의 사람들은 잠을 푹 잔다고 대답했습니다. 잠을 푹 자고 일어나면 하루의 일을 다 잊을 수 있다고 합니다.

그럼 여자의 경우 스트레스가 많이 쌓일 때 무슨 일을 가장 많이 할까요? 여자는 스트레스가 쌓이면 잠을 푹 잔다고 대답한 사람이 60%로 가장 많았습니다. 푹 자고 일어나면 머리가 맑아지고 안 좋은 일을 다 잊어버릴 수 있다고 합니다. 그다음으로 친구와 만나서 이야기를 하는 사람들이 30%로 나타났습니다. 친구와 여러 가지 이야기를 나누면 스트레스가 해소된다고 합니다. 또 10%의 사람들은 친구와 맛있는 식당에 가서 케이크와 같은 디저트를 먹거나 신나는 음악을 듣는다고 했습니다. 맛있는 디저트를 먹고 신나는 음악을 들으면 스트레스가 사라지고 기분이 좋아진다고 합니다.

1) 윗글의 내용과 같은 것을 고르세요.

① 남자와 여자는 우울할 때 가장 많이 하는 일이 같아요.
② 여자는 스트레스를 풀려고 인터넷으로 게임을 하기도 해요.
③ 남자는 스트레스가 쌓이면 잠을 자는 사람들이 가장 많아요.
④ 여자의 경우 디저트를 먹으며 스트레스를 푸는 사람들도 있어요.

2) 이 사람이 이 글을 쓴 목적은 뭐예요?

① 남자와 여자의 취미가 다르다는 것을 알려 주려고
② 남자와 여자의 기분이 좋아지는 방법을 알려 주려고
③ 남자와 여자가 자주 하는 일이 다르다는 것을 알려 주려고
④ 남자와 여자의 스트레스 해소 방법이 다르다는 것을 알려 주려고

2. 새로 알게 된 어휘와 문법에 표시하면서 윗글을 다시 읽어 보세요.

1. 앞에서 읽은 글의 내용을 떠올려 보세요. 읽은 내용을 간단히 정리해 보세요.

2. 다음의 (   ) 속 핵심어를 참고하여 빈칸에 알맞은 문장을 써서 글을 완성해 보세요.

여러분은 스트레스가 쌓일 때 어떤 일을 자주 하시나요? 스트레스가 쌓이면 남자와 여자가 무슨 일을 하는지에 대해 조사한 결과, 1) _____

_____ . (남자와 여자, 스트레스가 쌓이다, 하는 일, 다르다)

먼저, 남자는 스트레스가 쌓이면 게임을 하는 사람들이 50% 정도로 가장 많았습니다. 컴퓨터나 인터넷으로 게임을 하면 재미있기 때문에 스트레스가 많이 풀린다고 합니다. 그다음으로 운동을 하는 사람들이 30% 정도로 나타났습니다. 2) _____

_____ . (운동을 하다, 기분이 상쾌해지다, 스트레스가 풀리다, 대답하다)

또 20%의 사람들은 잠을 푹 잔다고 대답했습니다. 잠을 푹 자고 일어나면 하루의 일을 다 잊을 수 있다고 합니다.

그럼 여자의 경우 스트레스가 많이 쌓일 때 무슨 일을 가장 많이 할까요? 여자는 스트레스가 쌓이면 잠을 푹 잔다고 대답한 사람이 60%로 가장 많았습니다. 3) _____

_____ . (푹 자고 일어나다, 머리가 맑아지다, 안 좋은 일을 다 잊다) 그다음으로 친구와 만나서 이야기를 하는 사람들이 30%로 나타났습니다. 4) _____

_____ .

(친구와 여러 가지 이야기를 나누다, 스트레스가 해소되다) 또, 10%의 사람들은 친구와 맛있는 식당에 가서 케이크와 같은 디저트를 먹거나 신나는 음악을 듣는다고 했습니다. 5) _____

_____ . (맛있는 디저트를 먹다, 신나는 음악을 듣다, 스트레스가 사라지다, 기분이 좋아지다)

1.

다음을 잘 읽고 알맞은 것을 골라 쓰세요.

| 두통이 생기다 | 연고를 바르다 | 붕대를 감다 | 배탈이 나다 | 열이 나다 |

1) [   ] 다친 곳에 상처를 치료하는 약을 발라요.

2) [   ] 상한 음식이나 찬 음식을 먹고 배가 아파요.

3) [   ] 몸의 온도가 올라서 뜨거워져요.

4) [   ] 다친 곳을 보호하거나 움직이지 않게 긴 천으로 감아요.

5) [   ] 머리가 아파요.

2.

다음을 잘 읽고 알맞은 것을 골라 글을 완성해 보세요.

| 상처가 나다 | 발목을 삐다 | 붕대를 감다 | 냉찜질을 하다 | 파스를 바르다 |

어제 길에서 뛰어가다가 넘어졌어요. 아픈 부위에 1) (   ) 피가

나는지 확인했는데 다행히 피가 나지 않았어요. 다친 곳을 확인하고 다시 걸으려고 했는데

2) (   ) 걷는 게 힘들었어요. 집에 도착해서 다친 곳을 얼음으로

3) (   ) 붓기가 없어졌어요. 다친 부분의 근육이 너무 아파서 약을 먹고

4) (   ). 많이 움직이면 빨리 안 나으니까

5) (   ) 다친 곳이 움직이지 않도록 고정했어요.

–도록 하다

1.

다음과 같이 문장을 바꿔 보세요.

> 가 : 선생님, 숙제를 언제까지 내야 해요?
>
> 나 : 수요일까지 내야 해요. → 수요일까지 내도록 하세요.

1) 가 : 목이 많이 부었어요.

　　 나 : 그럼 따뜻한 물을 많이 마셔야 해요. → _____.

2) 가 : 약은 하루에 몇 번 먹어야 해요?

　　 나 : 하루에 세 번 드셔야 해요. → _____.

3) 가 : 아침부터 열이 나요.

　　 나 : 그럼 지금 병원에 가 봐야 해요. → _____.

4) 가 : 내일 몇 시까지 가면 돼요?

　　 나 : 내일 오후 1시까지 오면 돼요. → _____.

5) 가 : 선생님, 늦게 와서 죄송해요.

　　 나 : 내일은 늦지 않아야 해요. → _____.

2.

질문에 대한 답으로 알맞은 것을 골라 보세요.

1) 가 : 요즘 너무 피곤해요.

　　 나 : ① 푹 쉬도록 하세요.　　　　　② 일을 열심히 하도록 하세요.

2) 가 : 건강을 지키려면 어떻게 해야 해요?

　　 나 : ① 매일 운동하도록 하세요.　　② 매일 운동하지 않도록 하세요.

3) 가 : 커피를 너무 많이 마셔서 잠이 안 와요.

　　 나 : ① 좋아하는 커피를 마시도록 하세요.　② 커피를 많이 마시지 않도록 하세요.

4) 가 : 밖에 비가 많이 오네.

　　 나 : ① 밖에 나가도록 해.　　　　② 우산을 가져가도록 해.

1. 빈칸을 채워 보세요.

있다	있어야	먹다	먹어야
작다		만들다	
춥다		쉬다	
다르다		공부하다	
놀다		사다	

2. 다음과 같이 문장을 바꿔 보세요.

> 가 : 감기가 빨리 나았으면 좋겠어요.
> 나 : 푹 쉬면 빨리 나을 수 있어요. → 푹 쉬어야 빨리 나을 수 있어요.

1) 가 : 왜 이렇게 한국어 공부를 열심히 해요?

　　나 : 한국어 공부를 열심히 하면 한국으로 유학 갈 수 있어요. → ....

2) 가 : 신분증은 왜 챙겨요?

　　나 : 신분증이 있으면 박물관에 들어갈 수 있어요. → ....

3) 가 : 밤이 늦었는데 안 자요?

　　나 : 오늘까지 이 일을 마치면 잘 수 있어요. → ....

4) 가 : 건강을 유지하려면 어떻게 해야 해요?

　　나 : 매일 운동하면 건강을 유지할 수 있어요. → ....

3. 다음과 같이 문장의 의미가 맞으면 ○, 틀리면 × 표시를 해 보세요.

> 매일 운동해야 건강해질 수 있어요. （○）
> 여권이 있어야 비행기를 탈 수 없어요. （×）

1) 열심히 공부해야 좋은 성적을 받을 수 있어요. ( )

2) 많이 웃어야 건강에 좋지 않아요. ( )

3) 아침에 일찍 일어나야 지각해요. ( )

4) 푹 쉬어야 감기가 빨리 나아요. ( )

1. 대화를 듣고 들은 내용으로 맞는 것을 고르세요.

① 주노 씨는 아침부터 두통이 있었어요.

② 주노 씨는 오늘도 늦게 퇴근을 할 예정이에요.

③ 주노 씨는 약을 먹고 나서 몸이 괜찮아졌어요.

④ 주노 씨는 병원에 갔다가 다시 회사에 오기로 했어요.

2. 다시 대화를 들으면서 빈칸에 알맞은 말을 써 보세요.

주노 : 부장님, 부탁하신 일 다 했습니다.

부장님 : 네. 그런데 주노 씨 몸이 많이 1) _____. 어디 아파요?

주노 : 아침부터 2) _____.

부장님 : 할 일도 거의 다 했고 퇴근 시간도 얼마 안 남았는데 오늘은 일찍 퇴근해서 3) _____

_____?

주노 : 그럼 조금 일찍 퇴근해도 괜찮을까요?

부장님 : 네. 괜찮아요. 건강이 중요하지요. 너무 걱정하지 말고 병원에 갔다가 4) _____

_____. 5) _____.

주노 : 네. 부장님. 감사합니다. 그럼 먼저 퇴근해 보겠습니다.

3. 대화를 듣고 따라 해 보세요.

1) 위의 대화를 보면서 듣고 따라 해 보세요.

2) 위의 대화를 보지 않고 들으면서 따라 해 보세요.

4. 발음과 억양에 유의해서 다음 문장을 듣고 따라 해 보세요.

할 일도 거의 다 했고/퇴근 시간도 얼마 안 남았는데/오늘은 일찍 퇴근해서/병원에 가 보는 게 어때요?

63

1.　　　다음 글을 읽고 질문에 답하세요.

　　　저는 건강을 지키기 위해 항상 실천하는 습관들이 있습니다. 첫째, 채소와 과일을 골고루 먹습니다. 채소를 싫어하는 편이지만 채소와 과일에는 비타민이 많기 때문에 하루에 한 번은 꼭 채소나 과일을 먹습니다. 둘째, 혼자서 여행을 자주 다닙니다. 혼자서 여행을 하면서 아름다운 경치도 보고 맛있는 음식도 먹으며 스트레스도 풉니다. 셋째, 하루에 물을 다섯 잔 이상 마십니다. 물을 많이 마시면 다이어트에도 좋을 뿐만 아니라 피부 건강에도 좋습니다. 또, 배가 불러서 과자와 같은 건강에 안 좋은 음식을 덜 먹을 수 있습니다. 넷째, 매일 운동을 합니다. 그러면 기분이 상쾌해지고 건강해집니다. 다섯째, 아침밥을 꼭 챙겨 먹습니다. 아침밥을 먹으면 일을 할 때 집중이 잘 돼서 실수하지 않고 일을 잘하게 됩니다. 여섯째, 하루에 여덟 시간 정도 잠을 잡니다. 여덟 시간 정도 잠을 자야 피로가 풀려 기분이 상쾌합니다. 그리고 잠을 푹 자고 일어나면 면역력이 올라가 건강을 유지할 수 있습니다. 이러한 습관들을 모두 지키면서 사니 아프지 않고 건강합니다. 여러분도 건강을 지키기 위한 습관을 만들어서 실천해 보세요.

1)　　윗글의 내용과 같은 것을 고르세요.

①　　이 사람은 친구들과 자주 여행을 가요.

②　　이 사람은 채소를 좋아해서 매일 먹어요.

③　　이 사람은 아침밥 대신 물을 많이 마셔요.

④　　이 사람은 잠을 푹 자는 것을 중요하게 생각해요.

2)　　이 사람이 여러 가지 습관을 가지고 있는 이유는 뭐예요?

①　　다이어트를 하기 위해서

②　　건강을 유지하기 위해서

③　　스트레스를 줄이기 위해서

④　　일을 성공적으로 하기 위해서

2.　　　새로 알게 된 어휘와 문법에 표시하면서 윗글을 다시 읽어 보세요.

1. 앞에서 읽은 글의 내용을 떠올려 보세요. 읽은 내용을 간단히 정리해 보세요.

     _____

     _____

     _____

     _____

     _____

     _____ .

2. 다음의 (   ) 속 핵심어를 참고하여 빈칸에 알맞은 문장을 써서 글을 완성해 보세요.

     1) _____

     _____ . (저, 건강을 지키다, 항상 실천하다, 습관이 있다)

     첫째, 채소와 과일을 골고루 먹습니다. 채소를 싫어하는 편이지만 2) _____

     _____ . (채소와 과일, 비타민이 많다, 하루에 한 번, 꼭, 먹다)

     둘째, 혼자서 여행을 자주 다닙니다. 혼자서 여행을 하면서 아름다운 경치도 보고 맛있는 음식도
     먹으며 스트레스도 풉니다. 셋째, 하루에 물을 다섯 잔 이상 마십니다. 3) _____

     _____ . (물, 많이 마시다, 다이어트에 좋다, 피부 건강에도 좋다)

     또, 배가 불러서 과자와 같은 건강에 안 좋은 음식을 덜 먹을 수 있습니다. 넷째, 매일 운동을
     합니다. 그러면 기분이 상쾌해지고 건강해집니다. 다섯째, 아침밥을 꼭 챙겨 먹습니다.
     4) _____

     _____ . (아침밥을 먹다, 일을 하다, 집중이 잘 되다, 실수하지 않다, 일을 잘하다)

     여섯째, 하루에 여덟 시간 정도 잠을 잡니다. 여덟 시간 정도 5) _____

     _____ . (잠을 자다, 피로가 풀리다, 기분이 상쾌하다)

     그리고 잠을 푹 자고 일어나면 면역력이 올라가 건강을 유지할 수 있습니다. 이러한 습관들을 모두
     지키면서 사니 아프지 않고 건강합니다. 여러분도 건강을 지키기 위한 습관을 만들어서 실천해
     보세요.

1.　다음을 잘 읽고 알맞은 것을 골라 쓰세요.

스트레스가 풀리다　시간 가는 줄 모르다　기분 전환이 되다　성취감을 느끼다　자기 계발을 하다

1)　[　　　　　　]⌒⌒　기분이 안 좋았는데 괜찮아져요.

2)　[　　　　　　]⌒⌒　너무 바쁘거나 일에 집중해서 시간이 지나가는 것을 몰라요.

3)　[　　　　　　]⌒⌒　쌓여 있던 스트레스가 없어져요.

4)　[　　　　　　]⌒⌒　자신의 능력을 더 좋게 만드는 일을 해요.

5)　[　　　　　　]⌒⌒　목표한 것을 이뤄서 뿌듯한 기분을 느껴요.

2.　다음을 잘 읽고 알맞은 것을 골라 글을 완성해 보세요.

여가 활동　시간 가는 줄 모르다　성취감을 느끼다　일상에서 벗어나다　자기 계발을 하다

　　요즘 젊은 사람들 사이에서 1) (　　　　　　　　　) 자유롭게 여행하는
활동보다는 어떤 것을 배우거나 취미 활동을 즐기는 2) (　　　　　　　　　)
큰 인기를 얻고 있습니다. 특히 외국어를 배우며 3) (　　　　　　　　　) 젊은
사람들이 많아지고 있습니다. 젊은 사람들이 외국어를 왜 배우는지에 대한 대답으로는 다른
언어를 배우는 게 너무 재미있어서 4) (　　　　　　　　　) 하는 대답이 가장
많았으며, 외국어 능력이 점점 늘어나는 자신의 모습에 5) (　　　　　　　　　)
외국어를 배운다는 대답이 그 뒤를 이었습니다.

-다 보면

1. 다음과 같이 문장을 바꿔 보세요.

> 한국어 공부를 계속 해요. 그러면 한국어 실력이 좋아질 거예요.
> → 한국어 공부를 계속 하다 보면 한국어 실력이 좋아질 거예요.

1) 매일 운동을 해요. 그러면 건강해질 거예요.

→ ....

2) 노래방에 가서 노래를 불러요. 그러면 기분이 좋아져요.

→ ....

3) 한국 음식을 계속 먹어요. 그러면 익숙해질 거예요.

→ ....

4) 친구들과 이야기를 해요. 그러면 시간 가는 줄 몰라요.

→ ....

5) 직진해서 가세요. 그러면 은행이 나올 거예요.

→ ....

2. 다음과 같이 '-다 보면'이나 '-다 보니까' 중 알맞은 것을 사용해서 문장을 완성해 보세요.

> 열심히 공부하다 → 열심히 공부하다 보면 좋은 성적을 받을 거예요.
> 매일 운동을 하다 → 매일 운동을 하다 보니까 건강이 좋아졌어요.

1) 일을 계속 하다 → .... 익숙해질 거예요.

2) 책을 매일 읽다 → .... 아는 단어가 많아질 거예요.

3) 한국어 공부를 하다 → .... 한국어를 잘하게 되었어요.

4) 피아노를 계속 치다 → .... 잘 칠 수 있게 될 거예요.

5) 한국 드라마를 매일 보다 → .... 듣기 실력이 좋아졌어요.

1. 다음과 같이 문장을 바꿔 보세요.

> 가 : 어제 본 영화가 어땠어요?
> 나 : 정말 재미있었어요. → 정말 재미있더라고요.

1) 가 : 이 책 재미있었어요?

   나 : 아니요. 너무 지루했어요.　　　　　→ _____.

2) 가 : 저 식당에 사람이 많네요.

   나 : 저도 저 식당에 가 봤는데 음식이 맛있었어요. → _____.

3) 가 : 아이들이 이 음식을 잘 먹을까요?

   나 : 우리 아이들은 잘 먹었어요.　　　　→ _____.

4) 가 : 마리 씨가 춤을 잘 춰요?

   나 : 네. 어제 봤는데 잘 췄어요.　　　　→ _____.

5) 가 : 어제 등산은 어땠어요?

   나 : 산이 너무 높아서 힘들었어요.　　→ _____.

2. 다음과 같이 맞으면 ○, 틀리면 × 표시를 해 보세요.

> 그 영화가 정말 재미있더라고요. (○)
> 저는 김치를 잘 먹더라고요.　　(×)

1) 저는 친구와 산책하더라고요. 　　　　　(　)

2) 어제 먹은 불고기가 맛있더라고요. 　　　(　)

3) 친구가 요즘 한국 드라마를 많이 보더라고요. (　)

4) 지하철이 정말 편리하더라고요. 　　　　(　)

1. 대화를 듣고 들은 내용으로 맞는 것을 고르세요.

① 마크 씨는 피아노를 배우고 있어요.

② 마크 씨는 저녁에 테니스를 치러 가요.

③ 마크 씨는 새로운 운동을 배우고 싶어 해요.

④ 마크 씨는 요즘 너무 바빠서 시간이 없어요.

2. 다시 대화를 들으면서 빈칸에 알맞은 말을 써 보세요.

마크: 요즘 시간이 많아서 여가 활동을 해 보고 싶은데 뭘 해야 할지 모르겠어요. 혹시
1) _____?

마리: 마크 씨는 운동을 좋아하니까 등산을 해 보는 건 어때요? 요즘 2) _____
_____.

마크: 정말요? 하지만 저는 저녁마다 테니스를 치고 있어서 운동보다 3) _____
_____.

마리: 그럼 4) _____? 저는 요즘 피아노를 배우는데
제가 좋아하는 노래를 피아노로 칠 수 있게 되니까 너무 좋더라고요.

마크: 그래요? 저도 배워 보고 싶네요. 그런데 제가 피아노를 잘 칠 수 있을까요?

마리: 5) _____.

3. 대화를 듣고 따라 해 보세요.

1) 위의 대화를 보면서 듣고 따라 해 보세요.

2) 위의 대화를 보지 않고 들으면서 따라 해 보세요.

4. 발음과 억양에 유의해서 다음 문장을 듣고 따라 해 보세요.

저는 요즘 피아노를 배우는데 / 제가 좋아하는 노래를 / 피아노로 칠 수 있게 되니까 / 너무
좋더라고요.

1. 다음 글을 읽고 질문에 답하세요.

요즘 젊은 사람들에게 가장 인기 있는 여가 활동 중의 하나는 운동입니다. 건강을 위해 여가 활동으로 운동을 하는 젊은 사람들이 많아지고 있습니다. 젊은 사람들에게 운동이 인기가 많아지면서 운동 수업을 등록하기 전에 미리 경험해 볼 수 있는 일일 체험 수업이 많이 생겼습니다. 일일 체험 수업은 운동이 힘들 것 같아서, 운동이 자신과 맞지 않을 것 같아서 망설이는 사람들이 운동을 등록하기 전에 체험해 볼 수 있는 좋은 기회입니다.

저는 요즘 필라테스에 관심이 많습니다. 그래서 일일 체험 수업을 신청하려고 합니다. 필라테스는 요가와 비슷하다고 들었는데 요가보다 더 힘들어서 포기하는 사람들이 많다고 합니다. 그래서 일일 체험 수업을 들어 보고 계속할지 말지에 대해 결정하려고 합니다. 필라테스 일일 체험 수업은 인터넷이나 전화로 신청할 수 있습니다. 수업을 한 번 무료로 들을 수 있는데 편한 옷만 입고 가면 되고 편한 시간에 가서 수업을 들으면 됩니다.

여러분도 혹시 필라테스를 하고 싶은데 힘들 것 같아서, 운동이 자신과 맞지 않을 것 같아서 고민하고 계신가요? 그럼 저처럼 일일 체험 수업을 신청해서 들어 보세요.

1) 윗글의 내용과 같은 것을 고르세요.

① 이 사람은 필라테스를 한 번 해 봤어요.
② 이 사람은 일일 체험 수업을 들으려고 해요.
③ 필라테스 일일 체험 수업은 정해진 시간에 가야 해요.
④ 필라테스 일일 체험 수업은 전화로만 신청할 수 있어요.

2) 이 사람이 일일 체험 수업을 듣는 이유는 뭐예요?

① 운동이 힘들까 봐 고민이 되어서
② 매일 가야 할까 봐 걱정이 되어서
③ 요가 수업과 차이가 없을 것 같아서
④ 필라테스가 요즘 인기가 많은 운동이라서

2. 새로 알게 된 어휘와 문법에 표시하면서 윗글을 다시 읽어 보세요.

1. 앞에서 읽은 글의 내용을 떠올려 보세요. 읽은 내용을 간단히 정리해 보세요.

2. 다음의 (   ) 속 핵심어를 참고하여 빈칸에 알맞은 문장을 써서 글을 완성해 보세요.

　　요즘 젊은 사람들에게 가장 인기 있는 여가 활동 중의 하나는 운동입니다. 1)

_____

_____. (건강을 위하다, 여가 활동, 운동하다, 젊은 사람들이 많아지다) 젊은 사람들에게 운동이

인기가 많아지면서 2) _____

_____. (운동 수업을 등록하다,

미리 경험하다, 일일 체험 수업이 생기다) 일일 체험 수업은 운동이 힘들 것 같아서, 운동이 자신과

맞지 않을 것 같아서 망설이는 사람들이 운동을 등록하기 전에 체험해 볼 수 있는 좋은 기회입니다.

　　저는 요즘 필라테스에 관심이 많습니다. 그래서 3) _____

_____. (일일 체험 수업, 신청하다) 필라테스는 요가와 비슷하다고

들었는데 요가보다 더 힘들어서 포기하는 사람들이 많다고 합니다. 그래서 4)

_____.

(일일 체험 수업을 듣다, 계속 하다, 말다, 결정하다) 필라테스 일일 체험 수업은 인터넷이나 전화로 신청할 수

있습니다. 수업을 한 번 무료로 들을 수 있는데 편한 옷만 입고 가면 되고 5)

_____. (편한 시간에 가다, 수업을 듣다)

　　여러분도 혹시 필라테스를 하고 싶은데 힘들 것 같아서, 운동이 자신과 맞지 않을 것 같아서

고민하고 계신가요? 그럼 저처럼 일일 체험 수업을 신청해서 들어보세요.

1.

다음을 잘 읽고 알맞은 것을 골라 쓰세요.

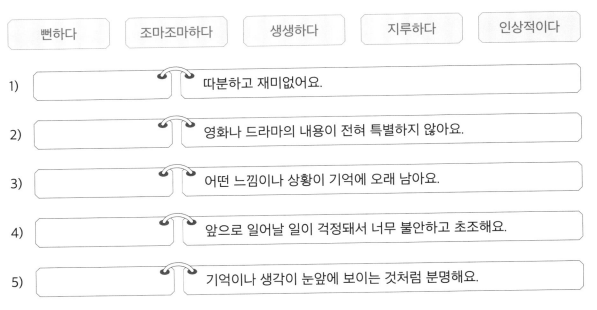

| 뻔하다 | 조마조마하다 | 생생하다 | 지루하다 | 인상적이다 |

1) [   ] 따분하고 재미없어요.

2) [   ] 영화나 드라마의 내용이 전혀 특별하지 않아요.

3) [   ] 어떤 느낌이나 상황이 기억에 오래 남아요.

4) [   ] 앞으로 일어날 일이 걱정돼서 너무 불안하고 초조해요.

5) [   ] 기억이나 생각이 눈앞에 보이는 것처럼 분명해요.

2.

다음을 잘 읽고 알맞은 것을 골라 글을 완성해 보세요.

| 사극 | 인상적이다 | 액션 영화 | 지루하다 | 코미디 영화 |

저는 여러분에게 가장 1) (   ) 한국의 대중문화를 소개하려고

합니다. 요즘 우리 나라에서는 한국 영화나 드라마가 유행하고 있습니다. 주인공들이 멋있게 싸우는

2) (   ) 웃기고 재미있는 3) (   ) 가장 인기가

많습니다. 하지만 저는 이런 영화보다 한국의 역사를 알 수 있는 4) (   )

좋아합니다. 처음에는 역사 이야기라서 5) (   ) 걱정했지만

몰랐던 여러 가지 역사 속 사건들을 알 수 있어서 정말 흥미진진했습니다. 여러분들도 시간이

있으면 꼭 보세요!

-는다 / ㄴ다 / 다

1.   빈칸을 채워 보세요.

오다	온다	예쁘다	예쁘다
만들다		읽다	
좋다		없다	
듣다		운동하다	
맛있다		깨끗하다	

2.   다음과 같이 문장을 바꿔 보세요.

> 저는 한국 드라마를 좋아합니다.
> → 나는 한국 드라마를 좋아한다.

1)   저는 김치를 먹어 본 적이 없습니다.

→ ....

2)   내일부터 방학입니다.

→ ....

3)   늦잠을 자서 지각을 했습니다.

→ ....

4)   내년에 한국으로 유학을 갈 겁니다.

→ ....

3.   다음과 같이 알맞은 것을 골라 바꾸어 써 보세요.

덥다	되다	드시다	만나다	공부하다

> 작년 여름은 너무 더웠다.

1)   할아버지는 매운 음식을 잘 ....

2)   오늘은 일요일이라서 푹 쉬어도 ....

3)   어제 오랜만에 친구와 ....

4)   이따가 도서관에서 ....

–(으)라고 하다

1.

빈칸을 채워 보세요.

가다	가라고 하다	먹다	먹으라고 하다
만들다		찾다	
보다		쉬다	
듣다		공부하다	
열다		사다	

2.

다음과 같이 문장을 바꿔 보세요.

> 선생님: 내일 집에서 푹 쉬세요. → 선생님이 내일 집에서 푹 쉬라고 했어요.

1) 사장님 : 내일 일찍 출근하세요. → _____ .

2) 어머니 : 오늘 집에 일찍 들어와. → _____ .

3) 친구 : 지각할 것 같으니까 먼저 가. → _____ .

4) 선생님 : 내일은 결석하지 마세요. → _____ .

3.

다음과 같이 '–아/어 주라고 하다', '–아/어 달라고 하다' 중 알맞은 것을 사용해서 문장을 완성해 보세요.

> 주노: 한국어를 가르쳐 주세요. → 주노 씨가 한국어를 가르쳐 달라고 했어요.
> 주노: 마리 씨에게 한국어를 가르쳐 주세요. → 주노 씨가 마리 씨에게 한국어를 가르쳐 주라고 했어요.

1) 마크 : 유명한 한국 드라마를 알려 주세요.

→ 마크 씨가 유명한 한국 드라마를 _____ .

2) 동생 : 집에 올 때 과자 좀 사다 줘.

→ 동생이 집에 올 때 과자 좀 _____ .

3) 아버지 : 동생에게 과일 좀 갖다 줘.

→ 아버지가 동생에게 과일 좀 _____ .

4) 마리 : 이 책 주노 씨한테 빌린 책인데 좀 전해 주세요.

→ 마리 씨가 주노 씨한테 빌린 책을 좀 _____ .

1. 대화를 듣고 들은 내용으로 맞는 것을 고르세요.

① 남자는 액션 영화에 출연해요.

② 남자는 오랜만에 영화에 나와요.

③ 이 영화는 서울에서만 볼 수 있어요.

④ 이 영화에서 사람들은 모두 괴물로 변해요.

2. 다시 대화를 들으면서 빈칸에 알맞은 말을 써 보세요.

> 리포터 : 1) _____. 기분이 어떠세요?
>
> 배우 : 영화에 출연하는 것은 처음이라서 2) _____.
>
> 리포터 : 네. 그러시군요. 그럼 이번 영화 소개 좀 해 주시겠어요?
>
> 배우 : 이번 영화는 3) _____.
>
> 알 수 없는 바이러스 때문에 사람들이 괴물로 변하게 되는데요. 가장 안전한 도시인 부산으로 가는 기차를 탄 사람들이 괴물로 변하지 않고 인간으로 살아남기 위해서 싸우는 영화입니다.
>
> 리포터 : 4) _____. 영화는 언제 개봉하나요?
>
> 배우 : 11월 1일에 개봉을 합니다. 5) _____
>
> _____ !

3. 대화를 듣고 따라 해 보세요.

1) 위의 대화를 보면서 듣고 따라 해 보세요.

2) 위의 대화를 보지 않고 들으면서 따라 해 보세요.

4. 발음과 억양에 유의해서 다음 문장을 듣고 따라 해 보세요.

> 가장 안전한 도시인 / 부산으로 가는 기차를 탄 사람들이 / 괴물로 변하지 않고 / 인간으로 살아남기 위해 / 싸우는 영화입니다.

1.　　　다음 글을 읽고 질문에 답하세요.

　　　주말에 〈수상한 그녀〉라는 영화를 봤다. 이 영화는 70세 할머니가 우연히 20살 때의 모습으로 돌아가면서 생긴 일에 대한 코미디 영화이다. 주인공 할머니 오말순은 어느날 우연히 '청춘사진관'을 발견하고, 자신의 장례식에 쓸 사진을 준비하기 위해서 사진관에 사진을 찍으러 간다. 그리고 사진을 찍고 나와 집에 가는 버스를 탔는데 오말순은 자신이 20살 때의 모습으로 변한 것을 보고 깜짝 놀란다. 이렇게 갑자기 젊은 시절의 모습으로 돌아간 오말순은 진짜 젊은 시절에 해 보지 못한 여러 가지 일들을 마음껏 해 본다.

　　　이 영화는 젊은 사람의 모습으로 할머니 같은 행동을 하는 주인공을 보며 크게 웃을 수 있는 즐거운 영화였다. 하지만 주인공이 젊었을 때 하고 싶었지만 못 한 일을 하나씩 경험해 보고, 이루지 못한 꿈에 도전하는 모습을 볼 때는 가슴이 뭉클하기도 했다. 그리고 마지막에 주인공이 젊은 모습을 포기하고 다시 가족들에게로 돌아가는 결정을 했을 때는 가족에 대한 주인공의 깊은 사랑을 느낄 수 있었다. 그리고 이 영화의 또 다른 매력은 배우들의 멋진 연기이다. 젊은 주인공을 연기한 여배우가 20대의 모습으로 할머니의 행동이나 말투를 연기하는 모습이 인상적이었다. 가족에 대한 이야기를 좋아하거나 가볍지만 감동이 있는 코미디 영화를 좋아하는 사람에게 이 영화를 꼭 보라고 추천하고 싶다.

　1)　　윗글의 내용과 같은 것을 고르세요.

　　①　　이 영화의 주인공은 사진관에서 일해요.
　　②　　이 영화의 주인공은 갑자기 젊은 시절의 모습으로 돌아갔어요.
　　③　　이 영화는 슬프고 가슴 아픈 가족의 이야기예요.
　　④　　이 영화는 과거로 돌아가서 역사를 바꾸는 내용이에요.

　2)　　이 사람이 생각하는 이 영화의 매력은 뭐예요?

　　①　　아름다운 화면
　　②　　흥미진진한 이야기
　　③　　배우들의 인상적인 연기
　　④　　가족과 함께 즐길 수 있는 내용

2.　　　새로 알게 된 어휘와 문법에 표시하면서 윗글을 다시 읽어 보세요.

1. 앞에서 읽은 글의 내용을 떠올려 보세요. 읽은 내용을 간단히 정리해 보세요.

2. 다음의 ( ) 속 핵심어를 참고하여 빈칸에 알맞은 문장을 써서 글을 완성해 보세요.

    주말에 〈수상한 그녀〉라는 영화를 봤다. 이 영화는 1) _____

_____. (70세 할머니, 20살 때 모습,

돌아가다, 코미디 영화) 주인공 할머니 오말순은 어느날 우연히 '청춘사진관'을 발견하고, 자신의

2) _____

_____. (장례식, 사진 준비, 사진을 찍다) 그리고 사진을 찍고 나와 집에 가는 버스를 탔는데 오말순은

자신이 20살 때의 모습으로 변한 것을 보고 깜짝 놀란다. 이렇게 갑자기 젊은 시절의 모습으로

돌아간 오말순은 진짜 젊은 시절에 해 보지 못한 여러 가지 일들을 마음껏 해 본다.

    이 영화는 젊은 사람의 모습으로 할머니 같은 행동을 하는 주인공을 보며 크게 웃을 수 있는

즐거운 영화였다. 하지만 주인공이 젊었을 때 하고 싶었지만 못 한 일을 하나씩 경험해 보고,

이루지 못한 3) _____

_____. (꿈에 도전하다, 가슴이 뭉클하다) 그리고 마지막에 주인공이 젊은 모습을 포기하고 다시

가족들에게로 돌아가는 결정을 했을 때는 가족에 대한 주인공의 깊은 사랑을 느낄 수 있었다.

그리고 4) _____

_____. (매력, 배우, 연기) 젊은 주인공을 연기한 여배우가 20대의 모습으로 할머니의 행동이나 말투를

연기하는 모습이 인상적이었다. 가족에 대한 이야기를 좋아하거나 5) _____

_____. (가볍다, 감동이 있다, 코미디 영화를 좋아하는 사람, 추천)

부록

듣기
지문
3A

01 🔊 그동안 어떻게 지냈니?

듣고 말하기 | 1~3번 | 9쪽

수지: 어머, 이게 누구야? 주노 아니니? 이게 얼마 만이야.

주노: 수지야, 오랜만이야. 잘 지냈니?

수지: 응. 난 여기저기 다니면서 잘 지냈어. 주노 넌?

주노: 나는 일 때문에 좀 바빴어. 그동안 여행 다닌 거야?

수지: 응. 이번에 시간이 있어서 세계 여러 나라를 여행했어.

주노: 그렇구나. 그래서 그런지 얼굴이 좋아 보인다. 사실 나도 여행 가고 싶었는데 일이 많아서 갈 시간이 없었어.

수지: 그래? 그럼 다음 휴가 때 시간 되니? 시간 되면 친구들하고 같이 여행 가자.

주노: 좋아. 빨리 여행 가고 싶다.

듣고 말하기 | 4번 | 9쪽

발음과 억양에 유의해서 다음 문장을 듣고 따라 해 보세요.

사실/나도 여행 가고 싶었는데/일이 많아서/갈 시간이 없었어.

02 🔊 요즘 좀 바쁘다고 해

듣고 말하기 | 1~3번 | 15쪽

안나: 유진! 재민 씨! 오랜만이에요. 잘 지냈어요? 늦어서 미안해요.

재민: 괜찮아요. 전 잘 지냈어요. 안나 씨도 잘 지냈죠?

안나: 네. 정말 오랜만이에요. 오늘 주말이라서 길이 좀 복잡하더라고요.

유진: 시험공부는 잘하고 있어?

안나: 열심히 하고 있기는 한데, 공부할 게 너무 많아서 정신이 없는 것 같아. 재민 씨, 요즘도 많이 바빠요?

재민: 출장 다녀와서 좀 바빴는데 지금은 괜찮아요. 안나 씨 무슨 시험이 있어요?

안나: 아, 한국어능력시험을 치려고요 지난번에 10점이 모자라서 떨어졌는데 이번에는 꼭 합격했으면 좋겠어요.

재민: 아르바이트도 잠깐 쉬고 공부하는데 당연히 합격할 거예요. 걱정하지 마세요.

유진: 참! 짠~ 이건 두 사람에게 줄 선물! 우리 고향에서 제일 유명한 과자예요.

재민: 정말 고마워요. 잘 먹을게요.

안나: 나도 잘 먹을게! 정말 맛있겠다.

듣고 말하기 | 4번 | 15쪽

발음과 억양에 유의해서 다음 문장을 듣고 따라 해 보세요.

오늘 주말이라서/길이 좀 복잡하더라고요.

03 🔊 이번에 이사를 할까 해요

듣고 말하기 | 1~3번 | 21쪽

수지: 주노 씨, 이 주변에 괜찮은 집이 있어요?

주노: 왜요? 기숙사 생활이 힘들어요?

수지: 아니요. 그런 건 아닌데 혼자 살아 보고 싶어서 이사를 할까 해요.

주노: 그렇군요. 어떤 집에서 살고 싶어요?

수지: 다른 건 다 괜찮고 학교에서 멀지만 않으면 돼요. 그리고 주변이 조용하면 더 좋고요.

주노: 그럼 우리 집 근처에 있는 원룸은 어때요?

수지: 원룸요?

주노: 네. 학교까지 걸어서 10분밖에 안 걸리고 주변 환경도 조용해요. 그리고 무엇보다 월세가 비싸지 않아요.

듣고 말하기 | 4번 | 21쪽

발음과 억양에 유의해서 다음 문장을 듣고 따라 해 보세요.

다른 건 다 괜찮고/학교에서/멀지만 않으면/돼요.

04 🔊 나는 거실 청소를 할 테니까 넌 주방 청소를 해 줘

듣고 말하기 | 1~3번 | 27쪽

유진: 수지야, 너 오늘 집들이하는 날인데 청소 안 했어? 집이 너무 더럽네.

수지: 오늘 집들이 때문에 이것저것 준비한다고 너무 바빠서 청소할 시간이 없었어.

유진: 우선 지금 시간이 없으니까 같이 청소부터 하자. 내가 도와줄 테니까 걱정하지 마.

수지: 유진, 정말 고마워. 그럼 미안하지만 거실 청소 좀 도와줘.

유진: 그래. 내가 먼지를 털고 나서 청소기를 돌릴게.

수지: 그럼 나는 네가 청소기를 다 돌리면 바닥을 닦아야겠다.

유진: 거실 청소 다 끝나면 내가 쓰레기를 버리고 올게.

듣고 말하기 | 4번 | 27쪽

발음과 억양에 유의해서 다음 문장을 듣고 따라 해 보세요.

먼지를 / 털고 나서 / 청소기를 / 돌릴게.

05 🔊 환불하려면 영수증이 필요합니다

듣고 말하기 | 1~3번 | 33쪽

마리: 어제 이 운동화를 사 갔는데요. 운동화를 좀 바꾸려고요.

직원: 네. 손님. 운동화에 무슨 문제가 있나요?

마리: 이것 좀 봐 주세요. 집에 가서 다시 보니까 작은 얼룩이 있고, 여기 오른쪽은 장식이 떨어졌어요.

직원: 아, 그러네요. 정말 죄송합니다. 똑같은 운동화가 있는지 확인하고 바로 교환해 드리겠습니다.
(잠시 후)
손님. 지금 이 까만색 운동화는 없고, 하얀색 운동화만 있습니다.

마리: 그래요? 까만색 운동화는 구할 수 없는 거예요?

직원: 아니요. 지금 가게에 없는데 주문하면 3일 후에는 받으실 수 있습니다. 조금 기다려 주시겠어요?

마리: 그럼 기다릴게요. 하얀색 운동화는 많아서요.

직원: 네. 그럼 지금 바로 주문을 하겠습니다. 운동화가 가게에 오면 연락 드리겠습니다. 다시 한번 죄송합니다.

듣고 말하기 | 4번 | 33쪽

발음과 억양에 유의해서 다음 문장을 듣고 따라 해 보세요.

집에 가서 / 다시 보니까 / 작은 얼룩이 있고 / 여기 오른쪽은 / 장식이 떨어졌어요.

06 🔊 새로 사려다가 수리해서 쓰고 있어요

듣고 말하기 | 1~3번 | 39쪽

마리: 재민 씨, 미안한데 제 컴퓨터 좀 봐 줄 수 있어요?

재민: 네. 잠깐만요. 무슨 문제가 있어요?

마리: 이상한 소리가 나고, 인터넷 연결이 잘 안 되는 것 같아요.

재민: 그래요? 얼마 전에 수리했잖아요.

마리: 맞아요. 그건 큰 문제가 아니라서 제가 바로 수리했는데 이번에는 뭐가 문제인지 잘 모르겠어요.

재민: 뒤에 플러그가 잘 꽂혀 있는지 확인해 보세요. 플러그가 잘 꽂혀 있지 않으면 꺼졌다, 켜졌다 하잖아요.

마리: 플러그는 잘 꽂혀 있어요. 재민 씨 컴퓨터는 인터넷 연결이 잘 돼요?

재민: 네. 제 컴퓨터는 아무 문제 없어요. 제가 한번 볼게요. (잠깐 쉬고) 마리 씨, 이 부분 선이 잘못 연결되어 있네요. 이것만 연결하면 괜찮을 것 같아요. 어때요?

마리: 잠깐만요. (잠깐 쉬고) 네. 이제 인터넷 연결됐어요. 고마워요. 서비스 센터에 가져가야 하나 걱정했는데 재민 씨 덕분에 안 가도 되겠어요.

듣고 말하기 | 4번 | 39쪽

발음과 억양에 유의해서 다음 문장을 듣고 따라 해 보세요.

서비스 센터에 가져가야 하나 / 걱정했는데 / 재민 씨 덕분에 / 안 가도 되겠어요.

07 🔊 여자 친구하고 만난 지 곧 3년이 돼

듣고 말하기 | 1~3번 | 45쪽

마리: 재민 씨, 뭘 그렇게 열심히 보고 있어요?

재민: 식당 좀 알아보고 있었어요. 마리 씨 생각엔 여기 어때요? 부모님께 가자고 하면 좋아하실까요?

마리: 와, 분위기가 좋네요. 여기 엄청 좋은 식당 같은데 무슨 특별한 날이에요?

재민: 곧 저희 부모님 결혼기념일이에요. 그래서 그날 여기에 가 볼까 싶어서요.

마리: 어, 그럼 부모님이 데이트하실 수 있게 재민 씨는 빠져야 하는 거 아니에요?

재민: 올해 저희 부모님이 결혼하신 지 30년이 됐거든요. 그래서 가족들이 다 같이 모여서 축하해 드리려고요.

마리: 아, 그렇구나. 저는 부모님 결혼기념일을 챙겨 본 적은 없는데 재민 씨 대단하네요.

재민: 하하, 그렇지 않아요. 선물도 드리고 싶은데 선물은 아직 못 정했어요.

마리: 음. 식당 예약을 했으니까 그냥 꽃다발을 준비하는 건 어때요? 기념일에는 역시 꽃이 있어야죠.

재민: 역시 꽃다발이 제일 좋겠죠? 그럼 그렇게 해야겠어요.

듣고 말하기   4번   45쪽

발음과 억양에 유의해서 다음 문장을 듣고 따라 해 보세요.

가족들이/다 같이 모여서/축하해 드리려고요.

08 🔊   한글날을 기념하기 위해서 여러 가지 행사를 한다고 해

듣고 말하기   1~3번   51쪽

주노: 안나, 세종학당에서 한글날을 기념하기 위한 행사를 한다고 하는데 혹시 포스터 봤어? 재미있는 행사가 많은 것 같은데 올해는 나도 참가할까 해서.

안나: 응. 봤어. 나도 행사에 참가할 거야.

주노: 그래? 무슨 행사에 참가하려고?

안나: 나는 유진하고 한글 편지 쓰기 대회에 참가하기로 했어.

주노: 나는 한국어 쓰기에 자신이 없어서 다른 행사에 참여하고 싶은데….

안나: 그럼 한국 음식 만들기 행사는 어때? 너 요리 잘하니까 한국 음식도 잘 만들 것 같아.

주노: 맞아. 음식 만들기가 재미있을 것 같아. 너도 같이 참가 신청하지 않을래?

안나: 음식 만들기 행사는 몇 시에 해?

주노: 아마 오전에 하는 것 같아.

안나: 편지 쓰기 대회는 오후에 하니까 그럼 음식 만들기 행사도 가 봐야겠다.

듣고 말하기   4번   51쪽

발음과 억양에 유의해서 다음 문장을 듣고 따라 해 보세요.

나는/한국어 쓰기에 자신이 없어서/다른 행사에 참여하고 싶은데….

09 🔊   비가 오면 오히려 기분이 좋아지는데요

듣고 말하기   1~3번   57쪽

유진: 안나, 오늘도 날씨가 흐리네. 벌써 며칠째인지 모르겠어.

안나: 유진, 너는 흐린 날씨를 별로 안 좋아하나 보네.

유진: 응. 날씨가 흐리면 기분이 가라앉아.

안나: 그래? 난 날씨가 흐리면 오히려 기분이 상쾌해지는데.

유진: 부럽네. 나는 오늘같이 흐려서 기분이 가라앉는 날에는 밖에서 노는 대신 집에서 음악을 들으면서 쉬고 싶어.

안나: 그러지 말고 지금 나랑 같이 밖에 나가서 산책하는 게 어때? 바람을 쐬면서 걸으면 기분이 좋아질 거야.

유진: 알겠어. 그럼 지금 같이 나가서 걸어 보자.

듣고 말하기   4번   57쪽

발음과 억양에 유의해서 다음 문장을 듣고 따라 해 보세요.

오늘같이 흐려서/기분이 가라앉는 날에는/밖에서 노는 대신/집에서 음악을 들으면서 쉬고 싶어.

10 🔊   오늘은 일찍 들어가도록 하세요

듣고 말하기   1~3번   63쪽

주노: 부장님, 부탁하신 일 다 했습니다.

부장: 네. 그런데 주노 씨 몸이 많이 안 좋아 보이네요. 어디 아파요?

주노: 아침부터 머리가 많이 아팠는데 지금은 열도 조금 나네요.

부장: 할 일도 거의 다 했고 퇴근 시간도 얼마 안 남았는데 오늘은 일찍 퇴근해서 병원에 가 보는 게 어때요?

주노: 그럼 조금 일찍 퇴근해도 괜찮을까요?

부장: 네. 괜찮아요. 건강이 중요하지요. 너무 걱정하지 말고 병원에 갔다가 집에서 푹 쉬도록 하세요. 푹 쉬어야 빨리 나을 수 있어요.

주노: 네. 부장님. 감사합니다. 그럼 먼저 퇴근해 보겠습니다.

듣고 말하기   4번   63쪽

발음과 억양에 유의해서 다음 문장을 듣고 따라 해 보세요.

할 일도 거의 다 했고/퇴근 시간도 얼마 안 남았는데/오늘은 일찍 퇴근해서/병원에 가 보는 게 어때요?

11 🔊   주말에는 집에서 쉬는 게 좋더라고요

듣고 말하기   1~3번   69쪽

마크: 요즘 시간이 많아서 여가 활동을 해 보고 싶은데 뭘 해야 할지 모르겠어요. 혹시 여가 활동을 추천해 줄 수 있어요?

마리: 마크 씨는 운동을 좋아하니까 등산을 해 보는 건 어때요? 요즘 등산하는 사람들이 많더라고요.

마크: 정말요? 하지만 저는 저녁마다 테니스를 치고 있어서 운동보다 이것저것 배울 수 있는 여가 활동을 하고 싶어요.

마리: 그럼 피아노를 배우는 건 어때요? 저는 요즘 피아노를 배우는데 제가 좋아하는 노래를 피아노로 칠 수 있게 되니까 너무 좋더라고요.

마크: 그래요? 저도 배워 보고 싶네요. 그런데 제가 피아노를 잘 칠 수 있을까요?

마리: 열심히 연습하다 보면 잘 칠 수 있으니까 너무 걱정하지 마세요.

듣고 말하기   4번   69쪽

발음과 억양에 유의해서 다음 문장을 듣고 따라 해 보세요.

저는 요즘 피아노를 배우는데/제가 좋아하는 노래를/피아노로 칠 수 있게 되니까/너무 좋더라고요.

리포터: 영화에 처음 출연하시는 것 같은데요. 기분이 어떠세요?

배우: 영화에 출연하는 것은 처음이라서 긴장이 많이 되고 너무 떨리네요.

리포터: 네. 그러시군요. 그럼 이번 영화 소개 좀 해 주시겠어요?

배우: 이번 영화는 액션을 좋아하시는 분들을 위한 영화입니다. 알 수 없는 바이러스 때문에 사람들이 괴물로 변하게 되는데요 가장 안전한 도시인 부산으로 가는 기차를 탄 사람들이 괴물로 변하지 않고 인간으로 살아남기 위해 싸우는 영화입니다.

리포터: 정말 기대가 많이 되네요. 영화는 언제 개봉하나요?

배우: 11월 1일에 개봉을 합니다. 전국의 영화관에서 볼 수 있으니까 많이 보러 와 주세요!

발음과 억양에 유의해서 다음 문장을 듣고 따라 해 보세요.

가장 안전한 도시인/부산으로 가는 기차를 탄 사람들이/괴물로 변하지 않고/인간으로 살아남기 위해/싸우는 영화입니다.

모범 답안 3A

2) 지내셨어요
3) 보자
4) 참석하십니까

---

01 그동안 어떻게 지냈니?

| 어휘와 표현 | 1번 | 6쪽 |

1) 이게 얼마 만이야
2) 정신없이 지내요
3) 이곳저곳 다니는
4) 이런저런 이야기를 했어요
5) 한가하게 지내고

| 어휘와 표현 | 2번 | 6쪽 |

1) "이게 얼마 만이야"
2) 이런저런 이야기를 했어요
3) 한가하게 지냈지만
4) 정신없이 지냈다고 했어요
5) 여기저기 다녀서
6) 그저 그렇게 지냈지만

| 문법 1 | 1번 | 7쪽 |

1) 아직 점심 못 먹었니? 그럼 같이 라면 먹자
2) 어디 아프니? 많이 아프면 같이 병원에 가자
3) 책을 안 가져 왔니? 그럼 나하고 같이 보자
4) 숙제 다 했니? 아직 안 했으면 같이 숙제하자

| 문법 1 | 2번 | 7쪽 |

1) 만나자

| 문법 2 | 1번 | 8쪽 |

넓다	넓어 보이다	바쁘다	바빠 보이다
편안하다	편안해 보이다	맛있다	맛있어 보이다
무섭다	무서워 보이다	친절하다	친절해 보이다
비싸다	비싸 보이다	크다	커 보이다
피곤하다	피곤해 보이다	슬프다	슬퍼 보이다

| 문법 2 | 2번 | 8쪽 |

1) 성격이 좋아 보여요
2) 신발이 작아 보여요
3) 영화가 재미있어 보여요
4) 의자가 불편해 보여요

| 문법 2 | 3번 | 8쪽 |

1) 아파 보여요
2) 넓어 보여요
3) 맛있어 보여요
4) 피곤해 보여요

| 듣고 말하기 | 1번 | 9쪽 |

①

| 듣고 말하기 | 2번 | 9쪽 |

1) 이게 얼마 만이야
2) 여기저기 다니면서 잘 지냈어
3) 일 때문에 좀 바빴어
4) 얼굴이 좋아 보인다

| 읽기 | 1번 | 10쪽 |

1) ④
2) ①

| 쓰기 | 1번 | 11쪽 |

　국내 대학생을 대상으로 '대학생들이 방학에 하고 싶은 일'과 '대학생들이 방학에 하는 일'에 대해 조사했습니다. 조사 결과 방학에 하고 싶은 일은 '여행'과 '취미 생활'이 가장 높게 나타났습니다. 그다음으로는 '휴식'과 '외국어 및 자격증 공부'였습니다. 대학생들이 방학에 하는 일은 '취업 준비'가 가장 높게 나타났고, 그다음으로 '외국어 및 자격증 공부', '아르바이트' 순으로 나타났습니다. 조사 결과 대학생들이 방학에 하고 싶은 일과 실제로 하는 일이 다르다는 것을 알 수 있습니다.

1) 아르바이트가 19% 순으로 나타났습니다
2) 이 조사 결과를 통해 대학생이 방학에 하고 싶은
3) 대학생들은 취업 준비 때문에 여행 및 취미 생활과 휴식을 위한

02 ✏️ 요즘 좀 바쁘다고 해

어휘와 표현 | 1번 | 12쪽

1) 승진하다
2) 장학금을 받다
3) 회사에 지원하다
4) 휴학하다
5) 졸업을 하다

어휘와 표현 | 2번 | 12쪽

1) 지원해서
2) 근무하고 있어요
3) 그만두고
4) 업무를 맡았고
5) 승진했어요

문법 1 | 1번 | 13쪽

가다	간다고 하다	아프다	아프다고 하다
살다	산다고 하다	받다	받는다고 하다
자다	잔다고 하다	공부하다	공부한다고 하다
듣다	듣는다고 하다	맛있다	맛있다고 하다
맑다	맑다고 하다	재미있다	재미있다고 하다

문법 1 | 2번 | 13쪽

1) 민수 씨는 다음 달에 결혼한다고 해요
2) 히엔 씨는 이번에 장학금을 받았다고 해요
3) 수현 씨는 두 달 후에 아이를 낳는다고 해요
4) 마크 씨는 요즘 좀 피곤하다고 해요

문법 1 | 3번 | 13쪽

1) 어머니께서 오늘 날씨가 ~~추워요~~.
   → 어머니께서 오늘 날씨가 춥다고 하세요
2) 주노 씨가 한국 음식이 별로 맵지 ~~않는다고~~ 해요.
   → 주노 씨가 한국 음식이 별로 맵지 않다고 해요
3) 교수님께서 장학금을 받으려면 전공 수업이 ~~중요해요~~.
   → 교수님께서 장학금을 받으려면 전공 수업이 중요하다고 하세요
4) 선배가 내년에 ~~휴학했다고~~ 해요.
   → 선배가 내년에 휴학한다고 해요

문법 2 | 1번 | 14쪽

오다	오나 보다	크다	큰가 보다
늦다	늦나 보다	자다	자나 보다
듣다	듣나 보다	바쁘다	바쁜가 보다
춥다	추운가 보다	피곤하다	피곤한가 보다
전화하다	전화하나 보다	재미있다	재미있나 보다

문법 2 | 2번 | 14쪽

1) 해리 씨가 시험공부를 하나 봐요. 매일 도서관에 가는 걸 봤어요
2) 안나 씨가 바쁜가 봐요. 전화를 안 받아요
3) 버스가 도착했나 봐요. 사람들이 버스 정류장으로 뛰어가네요
4) 소피 씨는 기숙사에 사나 봐요. 기숙사 쪽으로 가고 있어요

문법 2 | 3번 | 14쪽

1) 여자 친구를 만나나 봐요
2) 의사인가 봐요
3) 음식을 만드나 봐요
4) 시험 기간인가 봐요

듣고 말하기 | 1번 | 15쪽

①

듣고 말하기 | 2번 | 15쪽

1) 정말 오랜만이에요
2) 길이 좀 복잡하더라고요
3) 정신이 없는 것 같아
4) 출장 다녀와서 좀 바빴는데
5) 합격했으면 좋겠어요

읽기 | 1번 | 16쪽

1) ①
2) ①

쓰기 | 1번 | 17쪽

안나 씨, 지난번 시험에서 아깝게 떨어져서 걱정을 많이 하는 것 같은데, 아르바이트도 쉬면서 시험공부를 하고 있으니까 꼭 합격할 거예요. 긴장하지 말고 건강 관리를 하면서 공부하세요. 저는 2주 후에 한국으로 출장을 가는데 이번에는 바쁘지 않아서 고향에 갔다 올 수 있을 것 같아요. 그리고 요즘 바쁘지 않으니까 혹시 공부할 때 도움이 필요하면 도와줄게요. 6시 이후에는 항상 시간이 있어요.

쓰기 | 2번 | 17쪽

1) 시험 준비는 잘하고 있어요
2) 아르바이트도 잠깐 쉬면서 공부하고 있으니까

3) 긴장하지 말고 건강 관리를 하면서 공부했으면 좋겠어요
4) 출장 준비를 거의 다 해서 요즘 바쁘지 않은데

03 ✎ 이번에 이사를 할까 해요

어휘와 표현 | 1번 | 18쪽

1) 부동산
2) 이삿짐센터
3) 월세
4) 보증금
5) 집들이

어휘와 표현 | 2번 | 18쪽

1) 부동산에서
2) 시장이 가까워서
3) 교통이 편리해요
4) 월세가
5) 계약했어요

문법 1 | 1번 | 19쪽

가다	갈까 하다	읽다	읽을까 하다
살다	살까 하다	듣다	들을까 하다
자다	잘까 하다	묻다	물을까 하다
놀다	놀까 하다	운동하다	운동할까 하다
먹다	먹을까 하다	짓다	지을까 하다

문법 1 | 2번 | 19쪽

1) 너무 피곤해서 집에서 쉴까 해요
2) 아직 배가 안 고파서 나중에 먹을까 해요
3) 저도 잘 몰라서 친구한테 물어볼까 해요
4) 해외여행을 안 가 봐서 해외여행을 갈까 해요

문법 1 | 3번 | 19쪽

1) 놀까 해요
2) 읽을까 해요
3) 살까 해요
4) 들을까 해요 / 들어 볼까 해요

문법 2 | 1번 | 20쪽

1) 월세가 비싸지만 않으면 다 괜찮아요
2) 거짓말을 하지만 않으면 돼요
3) 사람이 많지만 않으면 다 괜찮아
4) 잘 때 코를 골지만 않으면 괜찮아요

5) 아르바이트를 그만두지만 않으면 돈을 모아서 한국으로 여행을 갈 거예요

문법 2 | 2번 | 20쪽

1) 바쁘지만 않으면
2) 지루하지만 않으면
3) 비가 오지만 않으면
4) 실수하지만 않으면

듣고 말하기 | 1번 | 21쪽

②

듣고 말하기 | 2번 | 21쪽

1) 이 주변에 괜찮은 집이 있어요
2) 이사를 할까 해요
3) 학교에서 멀지만 않으면 돼요
4) 주변이 조용하면 더 좋고요
5) 월세가 비싸지 않아요

읽기 | 1번 | 22쪽

1) ④
2) 집을 구하기 전: 원하는 조건 생각하기
   집을 볼 때: 시설에 문제가 없는지, 가전제품이나 가구가 있는지 확인
   하기
   집을 계약할 때: 계약서를 꼼꼼히 읽어 보기

쓰기 | 1번 | 23쪽

　　부동산에 가서 집을 구할 때 주의해야 할 점이 있습니다. 우선 방의 개수, 학교와 직장과의 거리 등 원하는 조건을 생각하는 것입니다. 그리고 집의 시설이나 구비되어 있는 가구나 가전제품이 무엇이 있는지도 잘 살펴보아야 합니다. 마지막으로 나중에 문제가 생기지 않도록 계약서를 꼼꼼히 읽어 보는 것도 중요합니다.

쓰기 | 2번 | 23쪽

1) 집을 구하기 전에 무엇을 해야 할까요
2) 월세는 얼마 정도인지 등을 정해야 합니다
3) 집의 시설에 문제가 없는지 잘 확인해야 합니다
4) 이사 준비를 어떻게 하면 될지 계획을 세우기가 편할 것입니다
5) 바로 계약서를 꼼꼼히 읽어 보는 것입니다

04 ✏️ 나는 거실 청소를 할 테니까 넌 주방 청소를 해 줘

<table>
<tr><td>어휘와 표현</td><td>1번</td><td>24쪽</td></tr>
</table>

1) 닦다
2) 개다
3) 설거지를 하다
4) 털다
5) 쓰레기통을 비우다

<table>
<tr><td>어휘와 표현</td><td>2번</td><td>24쪽</td></tr>
</table>

1) 털었어요
2) 돌리고
3) 닦았어요
4) 쓰레기통을 비웠어요
5) 설거지를 했어요

<table>
<tr><td>문법 1</td><td>1번</td><td>25쪽</td></tr>
</table>

1) 청소를 하고 나서 요리를 해요
2) 수업을 듣고 나서 집에 가요
3) 영화를 보고 나서 밥 먹으러 갈까요
4) 졸업하고 나서 취직할 거예요
5) 시험을 보고 나서 친구들과 노래방에 가서 놀고 싶어요

<table>
<tr><td>문법 1</td><td>2번</td><td>25쪽</td></tr>
</table>

1) 생각해 보고 나서
2) 숙제하고 나서
3) 졸업하고 나서
4) 청소하고 나서

<table>
<tr><td>문법 2</td><td>1번</td><td>26쪽</td></tr>
</table>

가다	갈 테니까	놀다	놀 테니까
사다	살 테니까	자다	잘 테니까
먹다	먹을 테니까	읽다	읽을 테니까
오다	올 테니까	준비하다	준비할 테니까
듣다	들을 테니까	돕다	도울 테니까

<table>
<tr><td>문법 2</td><td>2번</td><td>26쪽</td></tr>
</table>

1) 방 청소는 제가 할 테니까 설거지 좀 해 주세요.
2) 제가 빌려줄 테니까 걱정하지 마세요.
3) 제가 도와줄 테니까 같이 공부해요.
4) 그럼 오늘은 제가 살 테니까 다음에는 주노 씨가 사세요.

<table>
<tr><td>문법 2</td><td>3번</td><td>26쪽</td></tr>
</table>

1) 먹을 테니까

2) 잘 테니까
3) 놀 테니까
4) 볼 테니까

<table>
<tr><td>듣고 말하기</td><td>1번</td><td>27쪽</td></tr>
</table>

①

<table>
<tr><td>듣고 말하기</td><td>2번</td><td>27쪽</td></tr>
</table>

1) 집들이하는 날인데 청소 안 했어
2) 내가 도와줄 테니까 걱정하지 마
3) 먼지를 털고 나서 청소기를 돌릴게
4) 청소기를 다 돌리면 바닥을 닦아야겠다
5) 내가 쓰레기를 버리고 올게

<table>
<tr><td>읽기</td><td>1번</td><td>28쪽</td></tr>
</table>

1) ①

2) [예시]

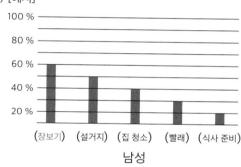

남성

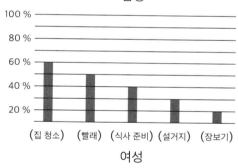

여성

<table>
<tr><td>쓰기</td><td>1번</td><td>29쪽</td></tr>
</table>

한국인을 대상으로 좋아하는 집안일에 대해 설문 조사를 한 결과 남성의 경우 장보기가 1위, 설거지가 2위, 집 청소와 빨래, 식사 준비가 그 뒤를 이었습니다. 여성의 경우 1위는 집 청소, 2위는 빨래, 이어 식사 준비와 설거지, 장보기 순이었습니다. 조사 결과 남성과 여성이 좋아하는 집안일이 다른 것을 알 수 있습니다. 그렇기 때문에 집안일을 할 때 각자 좋아하는 것을 하면서 서로 도우면 더욱 행복한 가정을 만들 수 있습니다.

<table>
<tr><td>쓰기</td><td>2번</td><td>29쪽</td></tr>
</table>

1) 남성의 경우 장보기가 1위를 차지했습니다
2) 가장 좋아하는 집안일로 집 청소가 1위였습니다

3) 남성과 여성이 좋아하는 집안일이 서로 다르다는 것을 알 수 있습니다
4) 집안일을 할 때 각자 좋아하는 것을 하면서 서로 돕는 게 어떨까요
5) 서로 도우면서 집안일을 한다면 더욱 행복한 가정을 만들 수 있을 것입니다

05 ✎ 환불하려면 영수증이 필요합니다

어휘와 표현 ｜ 1번 ｜ 30쪽

1) 구입하다
2) 저렴하다
3) 영수증
4) 망가지다
5) 교환하다

어휘와 표현 ｜ 2번 ｜ 30쪽

1) 구입했는데
2) 사이즈가 안 맞으면
3) 영수증이
4) 결제한
5) 환불할 수

문법 1 ｜ 1번 ｜ 31쪽

가다	가 보니까	배우다	배워 보니까
신다	신어 보니까	받다	받아 보니까
잡다	잡아 보니까	여행하다	여행해 보니까
만들다	만들어 보니까	보다	보니까
듣다	들어 보니까	운전하다	운전해 보니까

문법 1 ｜ 2번 ｜ 31쪽

1) 한국 음악을 들어 보니까 좋았어요
2) 번지 점프를 해 보니까 무서웠어요
3) 김치를 만들어 보니까 생각보다 쉬웠어요
4) 운동화를 신어 보니까 저한테 딱 맞았어요

문법 1 ｜ 3번 ｜ 31쪽

1) 보니까
2) 배워 보니까
3) 들어 보니까
4) 해 보니까

문법 2 ｜ 1번 ｜ 32쪽

사다	사려면	모으다	모으려면
보다	보려면	만나다	만나려면
부르다	부르려면	일하다	일하려면
먹다	먹으려면	걷다	걸으려면
만들다	만들려면	등산하다	등산하려면

문법 2 ｜ 2번 ｜ 32쪽

1) 옷을 환불하려면 영수증이 필요해요
2) 도서관에 가려면 808번 버스를 타세요
3) 수업 시간에 늦지 않으려면 일찍 일어나야 해요
4) 외국인 등록증을 만들려면 사진을 준비하세요

문법 2 ｜ 3번 ｜ 32쪽

1) 잘 쓰려면
2) 타면
3) 출발하면
4) 만나려면

듣고 말하기 ｜ 1번 ｜ 33쪽

②

듣고 말하기 ｜ 2번 ｜ 33쪽

1) 운동화를 좀 바꾸려고요
2) 집에 가서 다시 보니까 작은 얼룩이 있고 여기 오른쪽은 장식이 떨어졌어요
3) 똑같은 운동화가 있는지 확인하고 바로 교환해 드리겠습니다
4) 까만색 운동화는 구할 수 없는 거예요
5) 하얀색 운동화는 많아서요

읽기 ｜ 1번 ｜ 34쪽

1) ④
2) ②

쓰기 ｜ 2번 ｜ 35쪽

　세종백화점에서는 사이즈가 안 맞거나 디자인이 마음에 들지 않으면 일주일 안에 교환이나 환불을 할 수 있습니다. 사용한 물건, 세탁을 한 옷이나 신발, 태그(tag)가 없는 상품은 교환과 환불을 할 수 없습니다. 세일 상품은 교환만 가능합니다. 교환이나 환불을 할 때는 결제한 카드와 영수증을 가져와야 합니다. 문의 사항은 홈페이지의 '교환 및 환불' 게시판을 이용하면 됩니다.

1) 사이즈가 맞지 않거나, 디자인이 마음에 들지 않으면 7일 이내에
2) 세탁을 하신 후에는 교환, 환불을 하실 수 없습니다
3) 태그(tag)가 없는 상품은 교환이나 환불이 불가능합니다
4) 결제하신 카드와 영수증을 꼭 가져오셔야 합니다

06 🖉 새로 사려다가 수리해서 쓰고 있어요.

어휘와 표현 | 1번 | 36쪽

1) 고치다
2) 플러그
3) 전원을 켜다
4) 배터리가 나가다
5) 서비스 센터

어휘와 표현 | 2번 | 36쪽

1) 고장 난 것 같아요
2) 버튼이 안 눌려요
3) 고치고
4) 서비스 센터에
5) 수리를 맡기면

문법 1 | 1번 | 37쪽

1) 싸고 맛있잖아요
2) 시험 기간이잖아요
3) 수리 센터에 갔잖아요
4) 다리를 다쳤잖아요
5) 오늘 입학식이잖아요

문법 1 | 2번 | 37쪽

1) 한글날이잖아요
2) 성격이 좋잖아요
3) 비가 오잖아요
4) 두 번 눌러야 하잖아
5) 아프시잖아요

문법 2 | 1번 | 38쪽

보다	보려다가	듣다	들으려다가
사다	사려다가	배우다	배우려다가
찾다	찾으려다가	마시다	마시려다가
씻다	씻으려다가	게임하다	게임하려다가
살다	살려다가	돕다	도우려다가

문법 2 | 2번 | 38쪽

1) 노트북을 수리하려다가 새로 샀어요
2) 떡볶이를 먹으려다가 햄버거를 먹기로 했어요
3) 취직을 하려다가 한국에 유학 오게 되었어요
4) 버스를 타려다가 길이 복잡할 것 같아서 지하철을 타고 왔어요

문법 2 | 3번 | 38쪽

1) 가려다가
2) 수리하려다가
3) 들으려다가
4) 살려다가

듣고 말하기 | 1번 | 39쪽

①

듣고 말하기 | 2번 | 39쪽

1) 인터넷 연결이 잘 안 되는 것 같아요
2) 얼마 전에 수리했잖아요
3) 플러그가 잘 꽂혀 있지 않으면 꺼졌다, 켜졌다 하잖아요
4) 재민 씨 컴퓨터는 인터넷 연결이 잘 돼요
5) 이 부분 선이 잘못 연결되어 있네요

읽기 | 1번 | 40쪽

1) ②

쓰기 | 1번 | 41쪽

Q. 6개월 전에 휴대폰을 구입했는데 일주일 전에 물을 쏟았습니다. 화면이 자꾸 꺼지고 버튼이 잘 안 눌러집니다. 품질 보증서가 없는데 수리가 가능한지, 가능하다면 수리 기간과 수리비도 궁금합니다.

A. 휴대폰을 수리하려면 세종전자 홈페이지에서 신청을 하면 됩니다. 신청서에 이름, 연락처, 고장 난 제품, 고장 내용을 쓰면 됩니다. 품질 보증서가 없으면 수리비는 10만 원이고, 수리 기간은 일주일 정도입니다.

쓰기 | 2번 | 41쪽

1) 화면이 자꾸 꺼지고 버튼도 잘 안 눌러집니다
2) 수리 기간은 얼마나 걸립니까
3) 홈페이지에서 수리 신청을 하시면 됩니다
4) 품질 보증서가 없으면 수리비는 10만 원 정도 듭니다

07 🖉 여자 친구하고 만난 지 곧 3년이 돼

어휘와 표현 | 1번 | 42쪽

1) 외식을 하다
2) 어버이날

3) 스승의 날
4) 밸런타인데이
5) 기념행사

어휘와 표현　2번　42쪽

1) 어버이날입니다
2) 건강식품과
3) 달아 드렸습니다
4) 외식을 하려고 합니다
5) 케이크도 주문했습니다

문법 1　1번　43쪽

먹다	먹은 지	살다	산 지
사다	산 지	듣다	들은 지
자다	잔 지	만나다	만난 지
찾다	찾은 지	배우다	배운 지
입다	입은 지	돕다	도운 지

문법 1　2번　43쪽

1) 고향에 못 간 지 1년이 됐어요
2) 이 책을 읽은 지 오래 됐어요
3) 한국어를 배운 지 6개월이 됐어요
4) 미나 씨를 안 지 10년이 됐어요

문법 1　3번　43쪽

1) 산 지
2) 들은 지
3) 만든 지
4) 도운 지/도와드린 지

문법 2　1번　44쪽

1) 마크 씨가 학교 끝나고 같이 영화 보러 가자고 했어요
2) 수지 씨가 오늘 저녁에 같이 농구 하자고 했어요
3) 주노 씨가 주말에 산책하러 가자고 했어요
4) 재민 씨가 어버이날 선물을 같이 사러 가자고 했어요
5) 아버지께서 주말에 가족들 모두 모여서 같이 밥 먹자고 하셨어요

문법 2　2번　44쪽

1) 마리 씨가 일 끝나고 저녁에 같이 테니스 치자고 했어요
2) 주노 씨가 집에서 같이 떡볶이를 만들자고 했어요
3) 안나 씨가 도서관 앞에서 만나자고 했어요
4) 유진 씨가 날씨가 추우니까 오늘 운동을 하지 말자고 했어요

듣고 말하기　1번　45쪽

④

듣고 말하기　2번　45쪽

1) 부모님께 가자고 하면 좋아하실까요
2) 저희 부모님 결혼기념일이에요
3) 결혼하신 지 30년이 됐거든요
4) 부모님 결혼기념일을 챙겨 본 적은 없는데
5) 꽃다발을 준비하는 건 어때요

읽기　1번　46쪽

1) ③
2) ②

쓰기　1번　47쪽

　한국에는 음식을 만드는 재료와 관련된 기념일이 있습니다. 먼저 5월 2일은 오이를 먹는 날입니다. 그리고 9월 9일은 닭고기나 달걀로 만든 음식을 먹는 날입니다. 마지막으로 11월 11일은 가래떡을 먹는 날입니다. 이런 기념일은 농업과 축산업 일을 하는 사람들을 응원하려고 만든 것입니다.

쓰기　2번　47쪽

1) 음식 재료와 관련된 재미있는 한국의 기념일들을 알아보겠습니다
2) 한국 사람들은 '구구'가 닭의 울음소리와 비슷하다고 생각합니다
3) 마지막으로 소개할 기념일은 11월 11일입니다
4) 가래떡 먹는 날로 정했다고 해요

08 🖊 한글날을 기념하기 위해서 여러 가지 행사를 한다고 해

어휘와 표현　1번　48쪽

1) 기념품
2) 예선
3) 신청서
4) 국경일
5) 상

어휘와 표현　2번　48쪽

1) 한글날은
2) 참가했습니다
3) 제출하고
4) 본선에는
5) 상을 받고 싶습니다

3A —— 모범 답안

1) 여행을 가기 위해서 아르바이트를 해요
2) 한국의 대학교에 입학하기 위해서 한국어를 공부해요
3) 건강을 위해서 요즘 과자나 사탕을 잘 안 먹어요
4) 비자를 받기 위해서 한국 대사관에 갔어요
5) 수지 씨를 위해서 준비했어요

1) 요리하기 위해서
2) 미래를 위해서
3) 건강을 위해서
4) 콘서트를 보기 위해서

가다	가야겠다	듣다	들어야겠다
읽다	읽어야겠다	보다	봐야겠다
마시다	마셔야겠다	운동하다	운동해야겠다
공부하다	공부해야겠다	사다	사야겠다
만들다	만들어야겠다	돕다	도와야겠다

1) 다음 주가 휴가니까 여행을 가야겠어요
2) 머리가 아프니까 쉬어야겠어요
3) 배가 고프니까 밥을 먹어야겠어요
4) 내일이 시험이니까 공부해야겠어요

1) 공부해야겠어요
2) 봐야겠어요
3) 끊어야겠어요
4) 마셔야겠어요

④

1) 올해는 나도 참가할까 해서
2) 한글 편지 쓰기 대회에 참가하기로 했어
3) 너 요리 잘하니까 한국 음식도 잘 만들 것 같아
4) 음식 만들기 행사는 몇 시에 해
5) 그럼 음식 만들기 행사도 가 봐야겠다

1) 한국 음식 만들기, 한글 편지 쓰기, 한복 체험
2) ③

10월 9일에 세종학당에서 한글날 행사가 열립니다. 오전 11시에는 한국 음식 만들기 행사가 열립니다. 오후 2시에는 한글 편지 쓰기 대회가 열립니다. 이 행사에는 세종학당 학생 누구나 참가할 수 있습니다. 그러나 행사에 참가하려면 10월 5일까지 세종학당 홈페이지에서 신청서를 써서 제출해야 합니다. 11시부터 오후 4시까지는 한복 체험 행사를 합니다. 누구나 무료로 한복을 입어 보고 사진도 찍을 수 있습니다. 기념행사에 참여하면 기념품을 받을 수 있습니다.

1) 한글날을 기념하기 위해 한글날 행사가 세종학당에서 열립니다
2) 오전 11시에는 한국 음식 만들기 행사가 열립니다
3) 미리 인터넷으로 참가 신청을 해야 합니다
4) 세종학당 홈페이지에서 신청서를 써서 제출해 주세요
5) 누구나 무료로 한복을 입어 보고 사진도 찍을 수 있습니다

09 ✏️ 비가 오면 오히려 기분이 좋아지는데요

1) 소나기
2) 무더위
3) 한파
4) 장마
5) 폭설

1) 소나기가
2) 무더위가
3) 푹푹 찌는
4) 장마가
5) 태풍

작다	작아지다	많다	많아지다
춥다	추워지다	크다	커지다
길다	길어지다	좋다	좋아지다
맑다	맑아지다	흐리다	흐려지다
다르다	달라지다	덥다	더워지다

1) 한국어 수업이 어려워졌어요
2) 날씨가 갑자기 나빠졌어요
3) 한국 생활이 익숙해졌어요
4) 이번 주에 일이 많아졌어요/바빠졌어요

문법 1 │ 3번 │ 55쪽

1) 흐려졌어요
2) 건강해졌어요
3) 작아졌어요
4) 고파졌어요

문법 2 │ 1번 │ 56쪽

작다	작은 대신에	사다	사는 대신에
멀다	먼 대신에	찾다	찾는 대신에
덥다	더운 대신에	만들다	만드는 대신에
좋다	좋은 대신에	오다	오는 대신에
다르다	다른 대신에	산책하다	산책하는 대신에

문법 2 │ 2번 │ 56쪽

1) 커피를 마시는 대신에 주스를 마실 거예요
2) 도서관에 가는 대신에 학교에 가서 공부할 거예요
3) 밥을 먹는 대신에 샐러드를 먹어요
4) 산책 가는 대신에 영화를 보러 가는 게 어때요

문법 2 │ 3번 │ 56쪽

1) ○
2) ○
3) ✕
4) ○

듣고 말하기 │ 1번 │ 57쪽

①

듣고 말하기 │ 2번 │ 57쪽

1) 날씨가 흐리네
2) 기분이 상쾌해지는데
3) 밖에서 노는 대신 집에서 음악을 들으면서 쉬고 싶어
4) 바람을 쐬면서 걸으면
5) 그럼 지금 같이 나가서 걸어 보자

읽기 │ 1번 │ 58쪽

1) ④
2) ④

쓰기 │ 1번 │ 59쪽

　　스트레스가 쌓이면 무엇을 하는지에 대해 조사한 결과 남자는 '게임'을 한다고 대답한 사람들이 50%로 가장 많았고 '운동'이 30%, '잠을 푹 잔다'고 대답한 사람이 20%였습니다. 여자는 스트레스가 쌓이면 '잠을 푹 잔다'고 대답한 사람이 60%로 가장 많았으며, 그다음으로 '친구와 만나서 이야기하기'가 30%, '맛있는 디저트를 먹거나 신나는 음악 듣기'라고 응답한 사람도 10%가 있었습니다.

쓰기 │ 2번 │ 59쪽

1) 놀랍게도 남자와 여자는 스트레스가 쌓일 때 하는 일이 다른 것으로 나타났습니다
2) 운동을 하면 기분이 상쾌해져서 스트레스가 풀린다고 대답했습니다
3) 푹 자고 일어나면 머리가 맑아지고 안 좋은 일을 다 잊어버릴 수 있다고 합니다
4) 친구와 여러 가지 이야기를 나누면 스트레스가 해소된다고 합니다
5) 맛있는 디저트를 먹고 신나는 음악을 들으면 스트레스가 사라지고 기분이 좋아진다고 합니다

10 ✏️ 오늘은 일찍 들어가도록 하세요

어휘와 표현 │ 1번 │ 60쪽

1) 연고를 바르다
2) 배탈이 나다
3) 열이 나다
4) 붕대를 감다
5) 두통이 생기다

어휘와 표현 │ 2번 │ 60쪽

1) 상처가 나서
2) 발목을 삐어서
3) 냉찜질을 하니까
4) 파스를 발랐어요
5) 붕대를 감아서

문법 1 │ 1번 │ 61쪽

1) 그럼 따뜻한 물을 많이 마시도록 하세요
2) 하루에 세 번 드시도록 하세요
3) 그럼 지금 병원에 가 보도록 하세요
4) 내일 오후 1시까지 오도록 하세요
5) 내일은 늦지 않도록 하세요

문법 1 │ 2번 │ 61쪽

1) ①
2) ①

3) ②

4) ②

문법 2 | 1번 | 62쪽

있다	있어야	먹다	먹어야
작다	작아야	만들다	만들어야
춥다	추워야	쉬다	쉬어야
다르다	달라야	공부하다	공부해야
놀다	놀아야	사다	사야

문법 2 | 2번 | 62쪽

1) 한국어 공부를 열심히 해야 한국으로 유학 갈 수 있어요
2) 신분증이 있어야 박물관에 들어갈 수 있어요
3) 오늘까지 이 일을 마쳐야 잘 수 있어요
4) 매일 운동해야 건강을 유지할 수 있어요

문법 2 | 3번 | 62쪽

1) ○
2) ×
3) ×
4) ○

듣고 말하기 | 1번 | 63쪽

①

듣고 말하기 | 2번 | 63쪽

1) 안 좋아 보이네요
2) 머리가 많이 아팠는데 지금은 열도 조금 나네요
3) 병원에 가 보는 게 어때요
4) 집에서 푹 쉬도록 하세요
5) 푹 쉬어야 빨리 나을 수 있어요

읽기 | 1번 | 64쪽

1) ④
2) ②

쓰기 | 1번 | 65쪽

저는 건강을 지키기 위해 지키는 습관이 있습니다. 첫째, 채소와 과일을 골고루 먹습니다. 둘째, 혼자 여행을 자주 다닙니다. 셋째, 하루에 물을 다섯 잔 이상 마십니다. 넷째, 매일 운동합니다. 다섯째, 아침밥을 꼭 챙겨 먹습니다. 여섯째, 하루에 여덟 시간 정도 잠을 잡니다. 여러분도 건강을 지키기 위한 습관을 만들어서 실천해 보세요.

쓰기 | 2번 | 65쪽

1) 저는 건강을 지키기 위해 항상 실천하는 습관들이 있습니다
2) 채소와 과일에는 비타민이 많기 때문에 하루에 한 번은 꼭 채소나 과일을 먹습니다
3) 물을 많이 마시면 다이어트에도 좋을 뿐만 아니라 피부 건강에도 좋습니다
4) 아침밥을 먹으면 일을 할 때 집중이 잘 돼서 실수하지 않고 일을 잘하게 됩니다
5) 잠을 자야 피로가 풀려 기분이 상쾌합니다

11 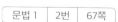 주말에는 집에서 쉬는 게 좋더라고요

어휘와 표현 | 1번 | 66쪽

1) 기분 전환이 되다
2) 시간 가는 줄 모르다
3) 스트레스가 풀리다
4) 자기 계발을 하다
5) 성취감을 느끼다

어휘와 표현 | 2번 | 66쪽

1) 일상에서 벗어나서
2) 여가 활동이
3) 자기 계발을 하는
4) 시간 가는 줄 모른다고
5) 성취감을 느껴서

문법 1 | 1번 | 67쪽

1) 매일 운동을 하다 보면 건강해질 거예요
2) 노래방에 가서 노래를 부르다 보면 기분이 좋아져요
3) 한국 음식을 계속 먹다 보면 익숙해질 거예요
4) 친구들과 이야기를 하다 보면 시간 가는 줄 몰라요
5) 직진해서 가다 보면 은행이 나올 거예요

문법 1 | 2번 | 67쪽

1) 일을 계속 하다 보면
2) 책을 매일 읽다 보면
3) 한국어 공부를 하다 보니까
4) 피아노를 계속 치다 보면
5) 한국 드라마를 매일 보다 보니까

문법 2 | 1번 | 68쪽

1) 아니요. 너무 지루하더라고요
2) 저도 저 식당에 가 봤는데 음식이 맛있더라고요
3) 우리 아이들은 잘 먹더라고요

4) 네. 어제 봤는데 잘 추더라고요
5) 산이 너무 높아서 힘들더라고요

| 문법 2 | 2번 | 68쪽 |

1) ✕
2) ○
3) ○
4) ○

| 듣고 말하기 | 1번 | 69쪽 |

②

| 듣고 말하기 | 2번 | 69쪽 |

1) 여가 활동을 추천해 줄 수 있어요
2) 등산하는 사람들이 많더라고요
3) 이것저것 배울 수 있는 여가 활동을 하고 싶어요
4) 피아노를 배우는 건 어때요
5) 열심히 연습하다 보면 잘 칠 수 있으니까 너무 걱정하지 마세요

| 읽기 | 1번 | 70쪽 |

1) ②
2) ①

| 쓰기 | 1번 | 71쪽 |

요즘 젊은 사람들에게 운동은 인기 있는 여가 활동입니다. 운동이 인기가 많아지면서 일일 체험 수업도 많이 생겼습니다. 나는 필라테스 일일 체험 수업을 신청하려고 합니다. 일일 체험 수업을 들어 보고 수업을 계속할지 결정하려고 합니다. 일일 체험 수업은 인터넷이나 전화로 신청합니다. 수업을 무료로 한 번 들을 수 있고 편한 시간에 가서 수업을 들으면 됩니다.

| 쓰기 | 2번 | 71쪽 |

1) 건강을 위해 여가 활동으로 운동을 하는 젊은 사람들이 많아지고 있습니다
2) 운동 수업을 등록하기 전에 미리 경험해 볼 수 있는 일일 체험 수업이 많이 생겼습니다
3) 일일 체험 수업을 신청하려고 합니다
4) 일일 체험 수업을 들어 보고 계속할지 말지에 대해 결정하려고 합니다
5) 편한 시간에 가서 수업을 들으면 됩니다

12 🖋 이 영화를 꼭 보라고 추천하고 싶다

| 어휘와 표현 | 1번 | 72쪽 |

1) 지루하다
2) 뻔하다
3) 인상적이다
4) 조마조마하다
5) 생생하다

| 어휘와 표현 | 2번 | 72쪽 |

1) 인상적인
2) 액션 영화와
3) 코미디 영화가
4) 사극을
5) 지루할 것 같아서

| 문법 1 | 1번 | 73쪽 |

오다	온다	예쁘다	예쁘다
만들다	만든다	읽다	읽는다
좋다	좋다	없다	없다
듣다	듣는다	운동하다	운동한다
맛있다	맛있다	깨끗하다	깨끗하다

| 문법 1 | 2번 | 73쪽 |

1) 나는 김치를 먹어 본 적이 없다
2) 내일부터 방학이다
3) 늦잠을 자서 지각을 했다
4) 내년에 한국으로 유학을 갈 것이다

| 문법 1 | 3번 | 73쪽 |

1) 드신다
2) 된다
3) 만났다
4) 공부할 것이다

| 문법 2 | 1번 | 74쪽 |

가다	가라고 하다	먹다	먹으라고 하다
만들다	만들라고 하다	찾다	찾으라고 하다
보다	보라고 하다	쉬다	쉬라고 하다
듣다	들으라고 하다	공부하다	공부하라고 하다
열다	열라고 하다	사다	사라고 하다

1) 사장님이 내일 일찍 출근하라고 했어요
2) 어머니가 오늘 집에 일찍 들어오라고 했어요
3) 친구가 지각할 것 같으니까 먼저 가라고 했어요
4) 선생님이 내일은 결석하지 말라고 했어요

1) 알려 달라고 했어요
2) 사다 달라고 했어요
3) 갖다 주라고 했어요
4) 전해 주라고 했어요

①

1) 영화에 처음 출연하시는 것 같은데요
2) 긴장이 많이 되고 너무 떨리네요
3) 액션을 좋아하시는 분들을 위한 영화입니다
4) 정말 기대가 많이 되네요
5) 전국의 영화관에서 볼 수 있으니까 많이 보러 와 주세요

1) ②
2) ③

주말에 〈수상한 그녀〉라는 영화를 봤다. 이 영화는 어떤 할머니가 20살 때로 돌아가면서 생긴 일에 대한 영화이다. 할머니는 갑자기 젊은 시절 모습이 되어서 젊었을 때 해 보지 못한 여러 가지 일을 해 본다. 이 영화는 크게 웃을 수 있는 즐거운 영화였다. 그리고 가슴이 뭉클하기도 했다. 또 가족에 대한 주인공의 사랑을 느낄 수도 있었다. 특히 배우의 멋진 연기가 인상적이었다. 가족에 대한 이야기를 좋아하거나 코미디 영화를 좋아하는 사람에게 이 영화를 보라고 추천하고 싶다.

1) 70세 할머니가 우연히 20살 때의 모습으로 돌아가면서 생긴 일에 대한 코미디 영화이다
2) 장례식에 쓸 사진을 준비하기 위해서 사진관에 사진을 찍으러 간다
3) 꿈에 도전하는 모습을 볼 때는 가슴이 뭉클하기도 했다
4) 이 영화의 또 다른 매력은 배우들의 멋진 연기이다
5) 가볍지만 감동이 있는 코미디 영화를 좋아하는 사람에게 이 영화를 꼭 보라고 추천하고 싶다

자료 출처

3A

※ 이 교재는 산돌폰트 외 Ryu 고운한글돋움OTF, Ryu 고운한글바탕 OTF 등을 사용하여 제작되었습니다. Ryu 고운한글돋움OTF, Ryu 고운한글바탕OTF 서체는 서체 디자이너 류양희 님에게서 제공 받았습니다.

| 셔터스톡 |
스피커 아이콘
연필 아이콘
부록 79쪽

세종한국어 | 익힘책 3A

기획	국립국어원	박미영 학예연구사
	국립국어원	조 은 학예연구사
집필	책임 집필	이정희 경희대학교 국제교육원 교수
	공동 집필	박진욱 대구가톨릭대학교 한국어문학과 조교수
		손혜진 고려대학교 국제한국언어문화연구소 연구교수
		김윤경 부산외국어대학교 한국어문화교육원 교사
		이정윤 계명대학교 국제사업센터 한국어학당 강사
		윤세윤 경희대학교 국제교육원 객원교수
	집필 보조	고정대 대구가톨릭대학교 국어국문학과 박사과정
		심지연 고려대학교 교양교육원 초빙교수
		정성호 경희대학교 국어국문학과 박사수료
		서유리 경희대학교 국어국문학과 박사과정

발행　국립국어원
주소: (07511) 서울특별시 강서구 금낭화로 154
전화: +82(0)2-2669-9775
전송: +82(0)2-2669-9727
누리집: www.korean.go.kr

초판 1쇄 발행　2022년 9월 1일
초판 3쇄 발행　2024년 5월 3일

편집·제작　공앤박 주식회사
주소: (05116) 서울특별시 광진구 광나루로56길 85, 프라임센터 3411호
전화: +82(0)2-565-1531
전송: +82(0)2-6499-1801
누리집: www.kongnpark.com / www.BooksOnKorea.com (구매)

총괄	공경용
편집	이유진, 김세훈, 이진덕, 여인영, 김령희, 성수정, 최은정, 함소연
영문 편집	Sung A. Jung, Paulina Zolta, Kassandra Lefrancois-Brossard
디자인	오진경, 서은아, 이종우, 이승희
삽화	강승희, 곽명주, 박가을, 이재영, 정원교
관리·제작	공일석, 최진호
IT 자료	손대철
마케팅	윤성호

ISBN 978-89-97134-34-2 (14710)
ISBN 978-89-97134-21-2 (세트)